Gesundheitsvorträge und Gesundheitskurs KOMPASS fürs LEBEN

Ihr Weg zu einem gesünderen, glücklicheren und erfolgreicheren Leben

Manfred Hildebrand hat während seiner beruflichen Laufbahn in einem großen Unternehmen vielfältige Führungsaufgaben wahrgenommen. Unter anderem hat er große Produktionsbereiche geleitet. Privat war er Gründungsvorstand eines neuen Vereins. Er war und ist Mitglied in verschiedenen Vereinen. Weiterhin war er fast ein viertel Jahrhundert in einem gesellschaftlichen Ehrenamt tätig. Wie entsteht Gesundheit? Diese wichtige Frage der Salutogenese und die Erkenntnisse der Salutogenese und Mind-Body-Medizin, dass für die Erzeugung von Gesundheit Bewusstsein, Verhalten, Bewegung, Entspannung und Ernährung zusammenwirken müssen, haben den Autor zur Entwicklung der ganzheitlichen TopFitComm Gesundheitsmethode inspiriert.

Wichtiger Hinweis

Die TopFitComm Gesundheitsmethode wurde von Manfred Hildebrand nach bestem Wissen und mit größtmöglicher Sorgfalt entwickelt. Jede Anwenderin und jeder Anwender der TopFitComm Gesundheitsmethode sollte jedoch für das eigene Tun und Lassen auch weiterhin selbst verantwortlich sein. Daher erfolgen Angaben in diesem Buch ohne jegliche Gewährleistung oder Garantie seitens des Verlages oder des Autors.

Manfred Hildebrand

Gesundheitsvorträge und Gesundheitskurs KOMPASS fürs LEBEN

Ihr Weg zu einem gesünderen, glücklicheren und erfolgreicheren Leben

Bibliografische Information der Deutschen Nationalbibliothek:
Die Deutsche Nationalbibliothek verzeichnet diese Publikation in der Deutschen Nationalbibliografie; detaillierte bibliografische Daten sind im Internet über http://dnd.dnd.de *abrufbar.*

Herstellung und Verlag:
BoD – Books on Demand, Norderstedt
ISBN 978-3-7494-7912-2

Inhaltsverzeichnis

TopFitComm® Gesundheitsmethode

Die TopFitComm® Gesundheitsmethode ist die zur Zeit wohl beste ganzheitlich orientierte Gesundheitsmethode, die neben körperlichen Aktivitäten für die Stärkung der physischen Gesundheit **auch schwerpunktmäßig** ein Trainingsprogramm für die Verbesserung der psychischen Gesundheit und für die Entwicklung einer ausgeprägten persönlichkeits- und gesundheitsfördernden Lebenseinstellung und Lebensweise beinhaltet und anbietet. Bei der TopFitComm® Gesundheitsmethode wirken Bewusstsein, Verhalten, Bewegung, Entspannung und Ernährung zusammen.

Vorwort

Dieses Buch ist die Teilnehmerunterlage für die Gesundheitsvorträge KOMPASS fürs LEBEN und für den Gesundheitskurs KOMPASS fürs LEBEN. Alle Theorieteile und Praxisteile der Gesundheitsvorträge KOMPASS fürs LEBEN und des Gesundheitskurses KOMPASS fürs LEBEN sind in diesem Buch dokumentiert. Als Vortrags- und Kursteilnehmer können Sie das Gelernte und Geübte immer wieder einmal nachlesen. Dies wirkt sich sehr günstig auf die Nachhaltigkeit der Gesundheitsvorträge KOMPASS fürs LEBEN und dem Gesundheitskurs KOMPASS fürs LEBEN aus.

Nach wissenschaftlichen Erkenntnissen können wir unsere Gesundheit, Lebensfreude und Lebenszufriedenheit sowie unser Glücksniveau sehr stark selbst beeinflussen. Unsere Gesundheit, Lebensfreude und Lebenszufriedenheit sowie unser Glücksniveau wird von unserer Resilienz bzw. unserer Widerstandsfähigkeit gegen Stress, Burnout, Depression und Demenz geprägt. **Resilienzforscher sind überzeugt, dass resilientes Verhalten erlernbar ist und aktiv trainiert werden kann.**

Mit dem KOMPASS fürs LEBEN, mit der ganzheitlich orientierten TopFitComm® Gesundheitsmethode und mit dem einzigartigen TopFitComm® Resilienztraining können Sie Ihre Resilienz gegen Stress, Burnout, Depression und Demenz kontinuierlich steigern sowie Ihre Konzentrationsfähigkeit und Ihre Gedächtnisleistung deutlich verbessern. Damit verbessern Sie auch Ihre Gesundheit, Lebensfreude und Lebenszufriedenheit und steigern Ihr Glücksniveau. Sie können Ihre gesundheitsfördernden Lebenskompetenzen und Resilienzfaktoren kontinuierlich verbessern und Ihre Gesundheit immer mehr in Richtung des Gesundheitspols verschieben. Mit dem KOMPASS fürs LEBEN können Sie eine gesundheitsfördernde Lebenseinstellung und Lebensweise realisieren.

Mit den Gesundheitsvorträgen KOMPASS fürs LEBEN und dem Gesundheitskurs KOMPASS fürs LEBEN werden auch starke gesundheitsfördernde ethische Werte vermittelt. Mit diesen Werten können Sie ein gutes und stressfreieres Miteinander in Ihrem privaten und beruflichen Umfeld realisieren. Diese Werte sind auch die Basis für Ihre erfolgreiche Persönlichkeitsentwicklung. Mit diesen Werten und Ihrem regelmäßigen TopFitComm® Resilienztraining können Sie zum Vorbild in Ihrem privaten und beruflichen Umfeld werden.

KOMPASS fürs LEBEN

Willkommen zum KOMPASS fürs LEBEN.

Der KOMPASS fürs Leben ist im Zusammenwirken mit der ganzheitlich orientierte TopFitComm® Gesundheitsmethode und dem einzigartigen TopFitComm® Resilienztraining die zur Zeit wohl beste ganzheitlich orientierte Gesundheitsmethode, die neben körperlichen Aktivitäten für die Stärkung der physischen Gesundheit **auch schwerpunktmäßig** ein Trainingsprogramm für die Verbesserung der mentalen und psychischen Gesundheit beinhaltet und anbietet. Bei dem KOMPASS fürs LEBEN und der TopFitComm® Gesundheitsmethode wirken Bewusstsein, Verhalten, Bewegung, Entspannung und Ernährung zusammen.

KOMPASS fürs LEBEN: Ihr Weg zu einem gesünderen, glücklicheren und erfolgreicheren Leben.

Freuen Sie sich auf Gesundheitsvorträge KOMPASS fürs LEBEN und auf den innovativen und ganzheitlich orientierten Gesundheitskurs KOMPASS fürs LEBEN.

Sie **lernen** gesundheitsfördernde Lebenskompetenzen und Resilienzfaktoren kennen, die Ihnen als Kompass für Ihr Leben dienen und ein gutes und stressfreieres Miteinander in Ihrem privaten und beruflichen Umfeld fördern.

Sie **lernen** eine ganzheitlich orientierte Gesundheitsmethode kennen, mit der Sie eine gesundheitsfördernde Lebenseinstellung und Lebensweise realisieren können.

Sie **lernen**, wie Sie Ihre aktuellen gesundheitsfördernden Lebenskompetenzen und Resilienzfaktoren bewerten können.

Sie **erleben** ein einzigartiges Resilienztraining, mit dem Sie Ihre Widerstandsfähigkeit gegen Stress, Burnout, Depression und Demenz stärken sowie Ihre Konzentrationsfähigkeit und Ihre Gedächtnisleistung verbessern können.

Sie **erleben** eine positive Grundstimmung in der Gruppe, mit Fröhlichkeit und guter Laune.

Mit dem KOMPASS fürs Leben werden Sie den Problemen und Herausforderungen des Lebens besser gewachsen sein.

Besondere Merkmale und Alleinstellungsmerkmale

Die besonderen Merkmale und Alleinstellungsmerkmale des KOMPASS fürs LEBEN sind in den Büchern zu den Gesundheitsvorträgen KOMPASS fürs LEBEN und zum Gesundheitskurses KOMPASS fürs LEBEN dokumentiert.

Buch »KOMPASS fürs LEBEN«: Dieses Buch ist die etwas kompaktere Ausführung des Buches »TopFitComm® Gesundheitsmethode«. Mit diesem Buch erhalten Sie gesundheits- und persönlichkeitsfördernde Werte. Diese Werte dienen Ihnen als Kompass für Ihr Leben und fördern ein gutes und stressfreieres Miteinander in Ihrem privaten und beruflichen Umfeld. Mit dem KOMPASS fürs LEBEN und der TopFitComm® Gesundheitsmethode sowie mit dem TopFitComm® Resilienztraining können Sie Ihre Gesundheit, Lebensfreude und Lebenszufriedenheit verbessern und steigern. Sie können eine gesundheitsfördernde Lebenseinstellung und Lebensweise realisieren und Ihre Gesundheit in Richtung des Gesundheitspols verschieben.

Die Verhaltensregeln des KOMPASS fürs LEBEN und der TopFitComm® Gesundheitsmethode stellen einen hervorragenden und einzigartigen »Verhaltenskodex« für Unternehmen, Kommunen, Familien usw. dar.

Sie erfahren in diesem Buch, wie Sie Ihre aktuellen gesundheitsfördernden Lebenskompetenzen und Resilienzfaktoren bwerten können.

TopFitComm® Resilienztraining: Mit diesem einzigartigen und zur Zeit wohl besten und effektivsten Resilienztraining können Sie Ihre gesundheitsfördernden Lebenskompetenzen und Resilienzfaktoren kontinuierlich verbessern und Ihre Widerstandsfähigkeit gegen Stress, Burnout, Depression und Demenz stärken sowie Ihre Konzentrationsfähigkeit und Gedächtnisleistung verbessern.

Buch »Gesundheitsvorträge und Gesundheitskurs KOMPASS fürs LEBEN«: Dieses Buch ist die Teilnehmerunterlage für die Gesundheitsvorträge KOMPASS fürs LEBEN und für den Gesundheitskurs KOMPASS fürs LEBEN. Alle Theorieteile und Praxisteile der Gesundheitsvorträge KOMPASS fürs LEBEN und des Gesundheitskurses KOMPASS fürs LEBEN sind in diesem Buch dokumentiert. Als Vortrags- und Kursteilnehmer können Sie das Gelernte und Geübte immer wieder einmal nachlesen. Dies wirkt sich sehr günstig auf die Nachhaltigkeit der Gesundheitsvorträge KOMPASS fürs LEBEN und des Gesundheitskurses KOMPASS fürs LEBEN aus.

Buch »Präsentationshandbuch Gesundheitsvorträge und Gesundheitskurs KOMPASS fürs LEBEN«: Dieses Buch unterstützt und erleichtert die Präsentation der einzelnen Theorieteile und Praxisteile der Gesundheitsvorträge KOMPASS fürs LEBEN und des Gesundheitskurses KOMPASS fürs LEBEN. Dieses Handbuch ist das wichtigste Hilfsmittel für Referentinnen und Referenten sowie für Kursleiterinnen und Kursleiter bei der Präsentation der Gesundheitsvorträge KOMPASS fürs LEBEN und des Gesundheitskurses KOMPASS fürs LEBEN. Da alle Detailinformationen zu den Gesundheitsvorträgen und zum Gesundheitskurs im Präsentationshandbuch vorgegeben sind, brauchen Referentinnen und Referenten sowie Kursleiterinnen und Kursleiter keine besonderen Vorkenntnisse, um die Gesundheitsvorträge KOMPASS fürs LEBEN und den Gesundheitskurs KOMPASS fürs LEBEN erfolgreich durchzuführen und zu leiten. Die Ausführung des Handbuches als Ringbuch erleichtert die Handhabung des Buches.

Was bietet die Website KOMPASS fürs LEBEN

Kostenlose Anleitung für die Durchführung der Gesundheitsvorträge KOMPASS fürs LEBEN und für den Gesundheitskurs KOMPASS fürs LEBEN.

Machen Sie Ihre erste Selbstbewertung: Jeder Besucher der Website kann kostenlos seine aktuellen gesundheitsfördernden Lebenskompetenzen und Resilienzfaktoren selbst bewerten.

Beispiel »Verhaltenskodex«: Alle Besucher der Website können sich diesen beispielhaften »Verhaltenskodex«, mit den Verhaltensregeln des KOPASS fürs LEBEN und der TopFitComm® Gesundheitsmethode als Basis, ansehen.

Kostenloser Download »OpenOffice-Präsentation KOMPASS fürs LEBEN«.

Blog KOMPASS fürs LEBEN: Dieser Blog behandelt alle Theorieteile der Gesundheitsvorträge KOMPASS fürs LEBEN und des Gesundheitskurses KOMPASS fürs LEBEN.

Wie sehen die Stundenverlaufspläne aus?

Das wollen wir uns jetzt gemeinsam ansehen.

Wichtige Komponenten der Stundenverlaufspläne

Bewegung für gute Laune und das TopFitComm® Resilienztraining sind wichtige Komponenten der Stundenverlaufspläne.

Die Kraft des Lachens

Lachen ist gesund! Nutzen Sie Lachen und Fröhlichkeit für Ihre Gesundheit

Lachen ist eine sehr gute Medizin für unseren Körper und Geist. Wenn wir fröhlich sind und lachen, fühlen wir uns gut. Lachen und Humor vertreiben Stress und machen den Kopf frei. Die Welt sieht plötzlich anders aus. Wenn wir fröhlich sind und gute Laune haben, wirkt sich dies auch sehr positiv auf unsere Mitmenschen aus. Lachen und Fröhlichkeit ist der Kitt, der Menschen zusammenhält. Chinesische Weisheit: *Lächle und du bist zehn Jahre jünger!* Auch unser Immunsystem wird durch Lachen angeregt und bildet vermehrt Antikörper zum Schutz vor Bakterien und Viren. Fröhlichkeit wirkt sogar direkt auf die Blutgefäße. Die Adern weiten sich, das Blut kann leichter fließen und das Risiko einer Arterienverkalkung sinkt. Mit Humor können wir auch über unsere eigenen Fehler schmunzeln und lachen.

Die Wissenschaft des Lachens. Das menschliche Lachen ist seit Jahrhunderten Gegenstand von Forschung. Heute wissen wir, dass es verschiedene Arten des Lachens gibt. Neueste Forschungen untersuchen zudem den Einfluss von Lachen und Humor auf unser Kaufverhalten. Lachen Sie mit Ihrem Mund oder Ihren Augen? Bei wahrhaften Lachen legen sich die Augenränder in Falten und die Mundränder werden nach oben gezogen. Achten Sie einmal bewusst darauf, was passiert, wenn Sie eine Person anlächeln. Sie werden feststellen, dass die meisten Menschen Ihr Lächeln erwidern. Dieser Effekt tritt interessanterweise auch auf, wenn Sie ein unechtes Lächeln aufsetzen. Die Wissenschaft konnte eindrucksvoll zeigen, dass menschliches Lachen eine besondere Stellung im sozialen Umgang einnimmt – sei es mit Arbeitskollegen, Familienangehörigen, Freunden oder Verkäufern, sei es mit echtem oder mit unechtem Lachen.

Lachen und Humor in der Werbung. Lachen und Humor in der Werbung funktioniert bestens. „Sind Menschen guter Stimmung, dann ist ihr Aufmerksamkeitsfokus breiter – bei schlechter Laune verengt er sich“, erklärt der Münchner Werbestratege Florian Becker. Auch der Berliner Werbestratege Daniel Adolph von der Werbeagentur Jung von Matt ist davon überzeugt, dass Lachen ein Türöffner für Werbebotschaften sei, weil es Vertrauen schaffe und positive Gefühle für das Produkt erzeuge, um das es geht. „Je intensiver der Humor, desto mehr mögen die Konsumenten die

Marke und desto besser ist die Erinnerung daran", heißt es in einer Untersuchung von Marketingexperten der Freien Universität Berlin.

Wissenschaftliche Erkenntnisse. Michael Miller, Direktor für vorbeugende Kardiologie an der Klinik der Universität von Maryland, stellt fest, dass Lachen die Arterien entspannt und den Blutfluss verbessert. Er geht davon aus, dass Lachen auch langfristig positive Auswirkung auf das Herz-Kreislauf-System hat. Das Lachen scheint für die Gesundheit von Blutgefäßen fast so wichtig zu sein wie Sport. Michael Titze, deutscher Diplompsychologe, Psychotherapeut und Psychoanalytiker, beschreibt den Effekt von 30-minütigen Lachübungen so, dass die Teilnehmer danach über ein gesteigertes Selbstwertgefühl berichten, das mit körperlich wohl fühlen und einer optimistischen Lebenseinstellung einhergeht. Daniel Kahnemann, Nobelpreisträger für Wirtschaftswissenschaften, stellt fest, dass positive Emotionen wie Lachen, Freude, Zufriedenheit und Heiterkeit das Spektrum unserer Denk- und Handlungsmöglichkeiten erweitern - was sich auf den beruflichen Erfolg günstig auswirkt. William Frey, Neurologe in Stanfort (Kalifornien) stellt fest, dass Lachen den Gasaustausch in der Lunge um das Drei- bis Vierfache gegenüber dem Ruhezustand steigert.

Lachen und Atmen. Lachen und Atmen stellen eine Einheit dar. Wir können nicht lachen, ohne gleichzeitig die Atmung intensiv anzuregen. Beim »Lachatmen« werden Zwerchfell und Bauchmuskeln rhythmisch zusammengezogen und wieder gelöst. Das befreit und kräftigt unsere wichtigsten Atemmuskeln. Lachen in Verbindung mit intensiver Atmung erzeugt ein stimmiges Wohlbefinden. Wissenschaftler stellen fest, dass mit Lachen, verbunden mit intensiver Atmung, vielfältige Verspannungen gelöst werden können. Lachen ist eine natürliche und intensive Atemübung, die die Ausatmung verlängert und die Einatmung trainiert. Das Zwerchfell ist unser wich-tigster Atemmuskel. Die deutsche Wissenschaftlerin Dore Jacobs nennt das Zwerchfell den »Dirigenten des Atemorchesters«, denn im fein abgestimmten Zusammenspiel aller Atemmuskeln gibt das Zwerchfell den Einsatz.

Lachen ist gesund! Lachen ist eine Gesundheitsvorsorge mit Spaß! Re-gelmäßiges Lachen führt zu einer heiteren Grundstimmung. Lachen aktiviert Glücksbotenstoffe im Gehirn, die für das Wohlbefinden sorgen. Lachen sti-muliert die Immunabwehr, wobei wir weniger anfällig für Krankheiten wer-den. Lachen wirkt ungesunden Stress entgegen und aktiviert Abwehrzellen. Lachen erweitert das Lungenvolumen und steigert die Sauerstoffaufnahme des Bluts. Lachen aktiviert das Herz-Kreislauf-System und senkt bei regelmä-ßiger Ausübung den Blutdruck. Lachen fördert Kreativität, Kommunikation und Produktivität. Lachen baut Hemmungen, Angst und Spannungen ab. Lachen verbessert die zwischenmenschlichen Beziehungen. Lachen reduziert Konfliktpotenzial, verändert Sichtweisen und führt zu heiterer Gelassenheit. Die »Kraft des Lachens« ist ein wichtiges Bewertungskriterium bei der Selbstbewertung Ihrer aktuellen Lebenskompetenzen.

Der Unternehmenserfolg folgt dem Lachen. In Unternehmen, in denen Lachen ein Teil der Unternehmenskultur ist, gibt es mehr Kreativität und Produktivität, weniger Fehlzeiten wegen Krankheit und weniger Mobbing und Fluktuation. Gesunde und zufriedene Mitarbeiter können mehr leisten als gestresste und ängstliche Mitarbeiter. Regelmäßiges Lachen wirkt gesundheitsfördernd und motivierend, schafft Nähe zu Menschen, baut Stress, Ärger und Anspannungen ab und Teamgeist auf. Lachtraining für Führungskräfte und Mitarbeiter ist bereits in vielen Ländern ein wichtiger Bestandteil der Unternehmenskultur. In Deutschland ist dies nur vereinzelt der Fall. Positiv resonantes Führen bzw. »Führen auf gleicher Wellenlänge« ist die Kernkompetenz jedes modernen Managements – aus vielerlei Gründen. Wir gleichen unsere emotionale Verfassung innerhalb eines Sekundenbruchteils automatisch an die Person an, mit der wir gerade zusammen sind. Wenn der Boss lacht, lachen seine Mitarbeiter – wenn er aggressiv ist, sind sie es ebenso. Positive Emotionen haben signifikanten Einfluss auf die Geschäftsergebnisse eines Unternehmens. Gut gelaunte Mitarbeiter sind motivierter und erledigen ihre Arbeit mit Schwung und Erfolgswillen. Führungskräfte haben deshalb eine große Vorbildfunktion sowie enormen Einfluss auf ihre Mitarbeiter.

Grundloses bzw. absichtliches Lachen. Diejenigen, die glauben, sie hätten keinen Grund zu lachen, können sich über die neuesten wissenschaftlichen Erkenntnisse freuen: Sie brauchen gar keinen Grund! Die Lachforscher haben festgestellt, dass auch »Lachen ohne Grund«, wie es zum Beispiel beim Lachyoga der Fall ist, vergleichbare physische Auswirkungen auf den Körper hat. Lachen Sie die Person, die Sie nach dem Aufstehen im Spiegel sehen an, diese Person wird zurück lachen! Aus einem grundlosen bzw. absichtlichen Lachen entsteht ein spontanes Lachen. »Fake it until you make it« heißt das Prinzip - »tue so als ob, bis das Lachen von selbst kommt«. Die »Freudenzentren« im Gehirn können auch durch willentliches Lächeln oder Lachen aktiviert werden. Was auch immer die Quelle unseres Lachens ist, die physiologischen Veränderungen, die es in unserem Körper hervorruft, sind dieselben.

Praxisübung: Bewegung für gute Laune. Weil jeder Mensch lachen kann, ist Lachyoga jedem möglich. Man braucht dazu weder umfangreiche Vorkenntnisse noch körperliche Geschicklichkeit, kein kompliziertes Training, keine langwierigen Einweisungen und auch keine spezielle Ausrüstung. Einzig fünf simple Grundregeln sind zu beachten:

Erstens: Augenkontakt halten und nicht zu sprechen, nur lachen.

Zweitens: Die Übungen finden nach Möglichkeit in Bewegung, zum Beispiel beim Herumgehen, statt.

Drittens: Am Beginn unserer Lachübung heben wir die Arme langsam über den Kopf, dehnen dabei Schultern und Nacken und atmen tief durch die Nase ein und atmen mit einem lauten »Hahaha« doppelt so lang aus und senken dabei die Arme. Diese Übung wiederholen wir fünfmal.

Viertens: Die einzelnen Lachübungen beginnen mit rhythmischen Klatschen, jeweils akustisch begleitet von einem lauten, fünfmal wiederholten »Hoho-hahaha«. Finger und Daumen beider Hände spreizen wir weit. Das ist wichtig, denn beim wiederholten Klatschen werden die Akupressurpunkte in den Handflächen angeregt.

Fünftens: Jetzt kommt der spielerische Anteil des Lachyoga. Eine Lachübung wird angesagt. Die beschriebenen Lachübungen müssen nicht alle durchgeführt werden. Je nach Übungslänge können einzelne Lachübungen ausgewählt werden.

Beim Lachyoga wird viel gelacht und werden viele Muskeln angesprochen. Lachyoga ist mit kleiner bis mittlerer körperlichen Betätigung und intensiver Atmung verbunden. In folgenden Fällen ist Vorsicht angebracht: Herzkrankheiten, sehr hoher Blutdruck, bei Leistenbrüchen, bei kürzlich durchgeführten Operationen, insbesondere an der Bauchhöhle, Epilepsie, Asthmatiker, Schwangere, schwere Depression, erhöhter Augeninnendruck (Glaukom), akute Bronchitis und Virusinfektionen.

Lachübungen

Westliches Begrüßungslachen: Sie gehen auf jemanden zu, reichen dieser Person die Hand, begrüßen sich, indem Sie einander die Hände herzlich lachend schütteln. Gehen Sie auf weitere Personen zu und begrüßen Sie diese auf gleicher Weise.

Östliches Begrüßungslachen: Sie halten die Hände wie bei einem Gebet, mit ausgestreckten Fingern, verbeugen sich abwechselnd voreinander und lachen fröhlich miteinander.

Lachspritze: Nehmen Sie Ihren Zeigefinger, laufen Sie lachend damit durch den Raum und tun Sie , als ob Sie den Mitlachenden eine Lachspritze verpassen.

Nordic-Walking-Lachen: Bewegen Sie sich, als ob Sie beim Nordic-Walking wären, und lachen Sie! Diese Übung garantiert, dass Gehen in Zukunft noch mehr Spaß macht, denn Sie werden sicherlich beim nächsten Training an die Übung denken.

Give-me-five-Lachen: Sie klatschen gegenseitig die Hände der anderen Personen ab, wie wir das von Basketballspielern kennen, wenn sie einen Korb geworfen haben. Das Klatschen begleiten Sie mit einem intensiv herausgestoßenen, knappen »Ha«, dem Sie wie als unmittelbares Echo ein »Ha ha ha« folgen lassen.

Gummiband auflachen: Nun haben Sie ein imaginäres Gummiband zwischen Ihren Händen und beginnen es »aufzulachen«. Sie lachen zuerst leise »Ha ha ha ha«. Ganz langsam wird das Lachen lauter, und die Arme öffnen sich dabei immer weiter. Sie lachen und dehnen sich so lange, bis die Arme weit auseinander gestreckt sind und das Gummiband und Sie vor Lachen platzen!

Zank-Lachen: Heben Sie Ihren gestreckten Zeigefinger der linken oder rechten Hand, holen Sie tief Luft und platzen Sie mit einem Lachen heraus, während Sie fingerschüttelnd vor dem Gesicht des anderen herumfuchteln, so als würden Sie mit ihm zanken.

Humorbrille-Lachen: Bilden Sie aus Daumen und Zeigefinger einen Kreis, halten Sie diese vor Ihre Augen, lache Sie dabei fröhlich und betrachten Sie das Leben und die anderen Mitlachenden nun durch Ihre Humorbrille.

Anerkennungslachen: Strecken Sie Ihren Daumen oder auch beide Daumen in die Höhe und zeigen Sie Ihren Mitmenschen lachend Anerkennung.

Resilienz – Was uns stark macht

Stärken Sie Ihre Widerstandskraft gegen Stress, Burnout, Depression und Demenz

Es gibt Menschen, die nichts aus der Bahn zu werfen scheint. Sie verzweifeln nicht an Problemen, Herausforderungen und ihrem Schicksal, sondern stärken dadurch ihre Widerstandsfähigkeit. Was unterscheidet diese Menschen von denjenigen, die mit Problemen, Herausforderungen und Schicksalsschlägen hadern und manchmal sogar daran zerbrechen? Das »Zauberwort« lautet **Resilienz**. Manche Menschen sind immun gegen Angriffe von außen. Haben solche Menschen einfach Glück gehabt, weil ihnen eine gute Resilienz in die Wiege gelegt wurde. Oder kann jeder lernen, resilient zu sein oder resilienter zu werden? Die Ergebnisse der Resilienzforschung machen Hoffnung – auch wenn man nicht zu den Menschen gehört, denen Resilienz scheinbar in die Wiege gelegt wurde. Resilienzforscher sind überzeugt, dass resilientes Verhalten erlernbar ist!

Resilienz ist ein Begriff aus der Werkstoffphysik. Hier gelten Materialien als resilient, die nach Momenten der extremen Spannung wieder in ihren Ursprungszustand zurückkehren, wie etwa Gummi. Resiliente Menschen lassen sich von widrigen Lebensumständen, Lebenskrisen und Schicksalsschlägen nicht unterkriegen. Resilienz ist eine Art seelische Widerstandsfähigkeit. Ein Stehaufmännchen kann als Sinnbild für diese Eigenschaft gelten – diese Spielzeugfigur besitzt die Fähigkeit, ihre aufrechte Haltung immer wieder einzunehmen. Resiliente Menschen besitzen eine seelisch hohe Widerstandskraft und Beweglichkeit und sind deswegen psychisch gut gewappnet gegen Angriffe und negative Ereignissen. Resilienz ist nicht angeboren, sondern kann erlernt und entwickelt werden. Mit der TopFitComm Gesundheitsmethode und dem autosuggestiven TopFitComm Resilienztraining können Sie Ihre Resilienz sehr zielgerichtet und effektiv verbessern und stärken.

Resilienz ist eine Art seelische Widerstandsfähigkeit oder Unverwüstlichkeit, gewissermaßen das Immunsystem der Seele. Laut Resilienzforschung sind folgende Resilienzfaktoren für eine gute seelische und körperliche Widerstandskraft wichtig: **Selbsthilfe**. Die Überzeugung, dass wir Einfluss auf unser Leben haben. Das Vertrauen auf Selbsthilfe ist die wichtigste Fähigkeit resilienter Menschen. **Selbstvertrauen**. Die

Überzeugung, dass wir über genügend innere Stärke verfügen, um bei Problemen und Herausforderungen Lösungen finden zu können. **Optimistische Haltung**. Wer optimistisch ist, betrachtet Krisen als vorübergehend und er ist der Überzeugung, dass sich alles zum Guten wenden wird. **Positive Erfahrungen**. Positive Erfahrungen, in Verbindung mit Problemen, Herausforderungen und Krisen fördern die Resilienz. **Soziales Netzwerk**. Dass wir enge emotionale Bindungen zu anderen Menschen haben und wissen, wir sind nicht allein. Stabile Beziehungen und soziale Netzwerke sind sehr wichtig. **Bewegung und Ausdauersport**. Auch Bewegung und Ausdauersport fördern die Resilienz. Die TopFitComm Gesundheitsmethode und das autosuggestive TopFitComm Resilienz-training unterstützen und fördern die oben genannten Resilienzfaktoren in einzigartiger Weise.

Personen mit einer hohen Resilienz haben in der Regel folgende Grundhaltung: Diese Personen übernehmen für ihr Leben und ihr Handeln die Verantwortung. Sie sehen sich nicht als »Opfer« von Problemen und Schwierigkeiten. Sie fühlen sich als Gestalter ihres Lebens und sind keine Marionetten von Problemen und negativen Ereignissen. Sie sind überzeugt, dass eine gute Resilienz und psychische Belastbarkeit entwickelt werden kann. Sie vertrauen auf ihre Fähigkeit, Probleme und Schwierigkeiten zu lösen oder in manchen Fällen auch ganz bewusst ungelöst zu akzeptieren. Sie wissen, dass Probleme, Schwierigkeiten und Krisen zu ihrem Leben gehören. Sie wissen, dass Probleme und Herausforderungen ihnen gute Chancen bieten für positive und hilfreiche Veränderungen in ihrem Leben. Mit der TopFitComm Gesundheitsmethode und einem regelmäßigen autosuggestiven TopFitComm Resilienztraining können Sie Ihre Resilienz und psychische Belastbarkeit entwickeln.

Resilienz, Salutogenese und TopFitComm® Gesundheitsmethode. Das Resilienzkonzept, das Modell der Salutogenese sowie die TopFitComm Gesundheitsmethode stimmen darin überein, dass sie mit Widerstandsressourcen die Gesundheit schützen und fördern wollen. Nach dem Gesundheitsbegriff der Salutogenese befinden sich alle Menschen in ihrem ganzen Leben auf einem Gesundheitskontinuum mit den Extrempolen von maximaler Gesundheit und maximaler Krankheit. Das Salutogenesemodell will mit drei Komponenten das Kohärenzgefühl bzw. die Stimmigkeit von

Menschen mit sich selbst und mit ihren Mitmenschen verbessern. Bei dem Resilienzkonzept, der Salutogenese und der TopFitComm Gesundheitsmethode ist die Stärkung und Entwicklung von Widerstandsressourcen ein wesentliches Ziel und Merkmal. Die Salutogenese und die TopFitComm Gesundheitsmethode sind noch stärker als das Resilienzkonzept auf Gesundheit bezogen. Sie erklären, warum Menschen trotz einschneidender Risiken und Belastungen gesund bleiben können.

Kohärenzgefühl der Salutogenese. Die folgenden drei Komponenten des Kohärenzgefühls der Salutogenese haben wir ja bereits in Verbindung mit dem Thema »Entstehung von Gesundheit« besprochen. **Verstehbarkeit**: Meine Welt ist verständlich und stimmig geordnet. Ich habe das Gefühl, Zusammenhänge zu verstehen und das Gefühl, dass auch andere Menschen mich verstehen. **Handhabbarkeit**: Das Leben stellt mir Aufgaben, die ich lösen kann. Ich verfüge generell über Ressourcen, um Herausforderungen und Probleme zu meistern. Ich fühle mich nicht als »Opfer« von Ereignissen. **Bedeutsamkeit**: Mein Leben ist interessant, lebenswert und schön. Mein Leben hat einen Sinn. Ich habe Ziele und Werte, für die es sich lohnt, dass ich mich für sie einsetze. Mit einem ausgeprägten Kohärenzgefühl bzw. mit einer ausgeprägten Stimmigkeit mit uns selbst und mit unseren Mitmenschen können wir unsere Gesundheit in Richtung des Gesundheitspols verschieben.

Kohärenzgefühl und Resilienz. Das Kohärenzgefühl beeinflusst stark die Resilienz. Ein ausgeprägtes Kohärenzgefühl wirkt sich sehr günstig auf die Resilienz aus. Personen mit einem ausgeprägten Kohärenzgefühl besitzen in der Regel viele und starke Widerstandsressourcen für die Bewältigung von Stresssituationen. Das Kohärenzgefühl versteht sich nicht nur als individuelle Überzeugung, sondern auch als kollektives Merkmal eines sozialen Systems, wie ein Betrieb oder eine Familie sein kann und als solches gefördert und entwickelt werden kann. Ein gut entwickeltes Kohärenzgefühl stellt eine günstige Voraussetzung dar, um zukünftig in konkreten Stresssituationen angemessene und wirksame Widerstandsressourcen auszuwählen und zu mobilisieren. Mit dem autosuggestiven TopFitComm Resilienztraining kann das Kohärenzgefühl und die Resilienz einzelner Personen als auch das Kohärenzgefühl und die Resilienz einer Familie oder eines Betriebes zielgerichtet und effektiv gefördert und entwickelt werden.

Resilienz gegen Stress im Privatleben. Nach einer Stressstudie einer Krankenkasse empfinden zwei von drei Menschen ihr Leben als stressig. Zwar ist für die meisten der Job der häufigste Stressfaktor aber es sind jedoch die privaten Probleme, die die Menschen am stärksten belasten. Stressauslöser sind: Konflikte oder Probleme mit dem Ehe- oder Lebenspartner. Konflikte in der Familie und mit Freunden. Konflikte in der Verwandtschaft oder im Bekanntenkreis. Finanzielle Sorgen. Mit der TopFitComm Gesundheitsmethode und dem autosuggestiven TopFitComm Resilienztraining kann der Stress im Privatleben vermieden bzw. deutlich reduziert werden. Davon profitiert auch das Immunsystem. Wissenschaftliche Untersuchungen zeigen, dass ein harmonisches und glückliches Familienleben das Immunsystem nachhaltig stärkt.

Resilienz gegen Stress im Berufsleben. Arbeit kann uns schwer zu schaffen machen; Zeitdruck, Konkurrenz und Angst um den Arbeitsplatz sorgen für reichlich Stress. Daneben überfluten E-Mails und andere Kommunikationsmittel uns regelrecht mit Informationen. Viele Berufstätige reagieren mit typischen Stresssymptomen. Mehr als die Hälfte kann selbst nachts nicht abschalten. Rund ein Drittel leidet an Konzentrationsstörungen, Unruhe und depressive Verstimmungen. Andauernder Stress kann außerdem eine zentrale Ursache für psychische Krankheiten wie Depressionen und Angststörungen sein.

Mit der TopFitComm Gesundheitsmethode und dem autosuggestiven TopFitComm Resilienztraining kann Stress im Berufsleben deutlich reduziert und der berufliche Alltag wesentlich besser bewältigt werden. Konflikte und Auseinandersetzungen mit Vorgesetzten und Kollegen können vermieden bzw. deutlich reduziert und entkrampft werden.

Resilienz gegen Burnout und Depression. Der Begriff »Burnout« kommt aus dem Englischen und bedeutet übersetzt »ausbrennen«. Burnout beschreibt einen chronischen körperlichen und emotionalen Erschöpfungszustand. Experten weisen darauf hin, dass Burnout eine große Nähe zur Depression aufweist. Ärzte und Psychologen sehen eine wichtige Ursache in der Persönlichkeit des Patienten. Sie trauen sich selbst eher wenig zu. Mit Kränkungen, Enttäuschungen und Stress können sie nicht gut umgehen. Es fehlen ihnen geeignete **Bewältigungsstrategien**. Nicht nur beruflicher Stress, sondern auch private Probleme und Konflikte spielen in vielen Fällen bei einem Burnout eine große Rolle. Mit der TopFitComm Gesundheitsmethode und dem autosuggestiven TopFitComm Resilienztraining können geeignete **Bewältigungsstrategien** aufgebaut und entwickelt werden.

Resilienz gegen Demenz. »Weg vom Geist« - so lautet die wörtliche Übersetzung des Begriffs »Demenz« aus dem Lateinischen. Am Anfang der Krankheit stehen Störungen des Kurzzeitgedächtnisses und der Merkfähigkeit, in ihrem weiteren Verlauf verschwinden auch bereits eingeprägte Inhalte des Langzeitgedächtnisses, sodass die Betroffenen zunehmend die während ihres Lebens erworbenen Fähigkeiten und Fertigkeiten verlieren. Die derzeitigen medizinischen Behandlungsmöglichkeiten können den Verlauf einer Demenz nur in einem sehr bescheidenen Ausmaß positiv beeinflussen. Deshalb kommt der **Prävention** der Demenz besondere Bedeutung zu. **Präventionsmöglichkeiten** sind: Körperliche Bewegung und gesunde Ernährung. Geistige Aktivität und soziale Teilhabe. Da der neurobiologische Krankheitsprozess nach wissenschaftlichen Erkenntnissen bereits 15 bis 20 Jahre vor dem Auftreten der klinischen Symptome beginnen kann, ist die Prävention vor allem für die Altersgruppe ab 40 Jahre relevant. Die TopFitComm Gesundheitsmethode und das autosuggestive TopFitComm Resilienztraining eignet sich gut als **Präventionsmöglichkeit** gegen Demenz.

Gesundheitsfördernde Potenziale erkennen und nutzen

Ihr Weg zu einem gesünderen, glücklicheren und erfolgreicheren Leben

Gesundheitsfördernde Potenziale, die in jedem Menschen schlummern, können mit der TopFitComm Gesundheitsmethode **erkannt, geweckt** und **genutzt** werden! In Einzelschritten können Sie Ihre persönlichkeits- und gesundheitsfördernden Potenziale erkennen, wecken und nutzen.

Die 33 einzelnen Bewertungskriterien der TopFitComm Gesundheitsmethode sind von den »zehn zentralen Lebenskompetenzen« der WHO für die Gesundheitsprävention und Gesundheitsförderung abgeleitet. Sehen wir uns die 6 Schritte gemeinsam an.

Wie können Sie Ihre gesundheitsfördernden Potenziale erkennen, wecken und nutzen? Buch »TopFitComm® Gesundheitsmethode« gründlich studieren. Selbstbewertung »Bewusstsein und Verhalten« durchführen. Wie setzen Sie die einzelnen Bewertungskriterien aktuell um? Bewertung durch die Vergabe einer »Schulnote«. Ihre Selbstbewertung können Sie einfach und schnell durchführen. Sie erhalten ein detailliertes und sehr aussagekräftiges Bewertungsergebnis hinsichtlich Ihrer aktuellen persönlichkeits- und gesundheitsfördernden Lebenskompetenzen. Ihre Selbstbewertung zeigt Ihnen auch, welche persönlichkeits- und gesundheitsfördernden Verbesserungspotenziale Sie noch nutzen können.

Selbstbewertung Bewusstsein: Untergruppe: **Ich bin ein einzigartiger Mensch, mit einem wertvollen Körper** mit folgenden Einzelkriterien: Ich bin dankbar für meine Einzigartigkeit. Ich nutze meine Fähigkeiten und Stärken um mich weiterzuentwickeln. Ich setze meine Fähigkeiten und Stärken bei Ehrenämtern ein. Ich behandle meinen Körper gut und rauche nicht. Ich bewege mich regelmäßig im Freien. Ich mache regelmäßig Ausdauersport und Kraftgymnastik. Ich ernähre mich gesund und vollwertig. Ich vermeide Trunkenheit und Völlerei. Bei allen Einzelkriterien können Sie sich jeweils fragen: Wie setze ich die einzelnen Kriterien aktuell um? Ihre Frage können Sie mit einer »Schulnote« beantworten.

Selbstbewertung Bewusstsein: Untergruppe: **Ich bin verantwortlich für meine Gedanken** mit folgenden Einzelkriterien: Ich steuere meine Gedanken und nicht umgekehrt. Ich lasse negative Gedanken gelassen vorüberziehen. Ich mache mir dreimal häufiger positive als negative Gedanken.

Selbstbewertung Bewusstsein: Untergruppe: **Meine wahre Natur ist friedvoll, kraftvoll, klar im Denken, liebevoll, freundlich, ruhig und gelassen** mit folgenden Einzelkriterien: Friedvoll. Kraftvoll. Klar im Denken. Liebevoll, Freundlich. Ruhig und gelassen.

Selbstbewertung Verhalten: Untergruppe: **Ich beachte wichtige Verhaltenskräfte** mit folgenden Einzelkriterien: Die Kraft der Toleranz. Die Kraft der Verarbeitung. Die Kraft, Probleme anzunehmen. Die Kraft, zusammenzuarbeiten. Die Kraft, zu unterscheiden. Die Kraft des Lachens. Die Kraft, einen Schlusspunkt zu setzen. Die Kraft, in die Stille zu gehen.

Selbstbewertung Verhalten: Untergruppe: **Ich beachte wichtige Verhaltensgrundsätze** mit folgenden Einzelkriterien: Ich akzeptiere und achte andere wie mich selbst. Ich sehe die Fähigkeiten und Stärken der anderen. Ich löse mich von meinen Erwartungen. Ich beschuldige und beleidige andere nicht. Ich bin losgelöster, neutraler Beobachter. Ich brauche mich nicht zu verteidigen. Ich brauche mich nicht zu ärgern. Ich genieße den Augenblick.

Untergruppenbewertung und **Gesamtbewertung**. Die Untergruppenbewertung ergibt sich aus dem Durchschnittswert der Einzelkriterien einer Untergruppe. Die Gesamtbewertung ergibt sich aus dem Durchschnittswert aller Einzelkriterien. Den errechneten Durchschnittswert bei der Untergruppe und bei der Gesamtbewertung können Sie durch Ankreuzen einer Schulnote dokumentieren. Alternativ können Sie den errechneten Wert als Zahl in das Schulnotenfeld eintragen.

Fremdbewertung Bewusstsein und Verhalten. Neben Ihrer Selbstbewertung können Sie sich auch von Ihrem Ehepartner, Lebenspartner oder einer anderen Person Ihres Vertrauens bewerten lassen. So eine »Fremdbewertung« kann durchaus anders ausfallen als Ihre Selbstbewertung. Im Rahmen der Diskussion dieser Fremdbewertung mit Ihrer Vertrauensperson erhalten Sie mit Sicherheit weitere wichtige Hinweise zu Ihren Verbesserungspotenzialen. Im Gegenzug können Sie eine Fremdbewertung bei Ihrer Vertrauensperson durchführen. Dieser vertrauensvolle und offene Austausch hinsichtlich Bewusstsein und Verhalten wird sich positiv auf Ihre Partnerschaft und Ihr Familienleben auswirken.

Mittel- und langfristige Zielplanung Bewusstsein und Verhalten am Beispiel der Bewusstseinsregel »Ich mache regelmäßig Ausdauersport und Kraftgymnastik«. Mit Ihrer ersten TopFitComm »Bewertung Bewusstsein und Verhalten« als Basis und Ausgangspunkt Ihres Verbesserungsprozesses können Sie kurz- und mittelfristige Ziele definieren. Planen, welche »Noten« Sie bei den einzelnen Bewertungskriterien in einem Jahr und in fünf Jahren erzielen wollen. Wollen Sie zum Beispiel beim Bewertungskriterium »Ich mache regelmäßig Ausdauersport und Kraftgymnastik« Ihre Note von 5 auf 2 verbessern, müssen Sie konkrete Maßnahmen definieren, wie Sie diese Verbesserung erreichen wollen. Sie können sich zum Beispiel vornehmen in Zukunft nicht nur unregelmäßig Ausdauersport und Kraftgymnastik zu machen, sondern regelmäßig zwei bis dreimal in der Woche. Mit dem Formular »Verbesserungsmaßnahmen Bewusstsein und Verhalten« können Sie definieren und dokumentieren, mit welchen Maßnahmen Sie Ihre Notenverbesserungen realisieren wollen.

Mit der TopFitComm Gesundheitsmethode und dem autosuggestiven TopFitComm Resilienztraining können Sie Ihre Stimmigkeit mit sich selbst und mit Ihren Mitmenschen in einzigartiger Weise fördern. Dies wird sich sehr günstig auf Ihre zwischenmenschlichen Beziehungen auswirken.

Das können Sie erreichen!

WHO-Lebenskompetenzen: Bei Personen, die sich nach regelmäßigen TopFitComm Resilienztraining bei allen Einzelkriterien mit der Note 2 oder besser bewerten, ist das für die Entwicklung ihrer persönlichkeits- und gesundheitsfördernden Lebenskompetenzen sehr wichtige persönliche Bewusstsein und Verhalten gut verinnerlicht und in ihrem Unterbewusstsein verankert.

Salutogenese und Kohärenzgefühl: Die Personen, die sich nach regelmäßigen TopFitComm Resilienztraining bei allen Einzelkriterien mit der Note 2 oder besser bewerten, haben in der Regel ein ausgeprägtes Kohärenzgefühl bzw. eine ausgeprägte Stimmigkeit mit sich selbst und mit ihren Mitmenschen. Diese Personen werden ihr Leben als interessant, lebenswert und schön empfinden.

Gesundheitsfördernde Potenziale nutzen. Bewegung, Ausdauersport und Entspannung, in Verbindung mit dem TopFitComm Resilienztraining, sowie eine regelmäßige Kraftgymnastik bzw. Gesundheitsgymnastik bieten Ihnen folgende gesundheitsfördernden Vorteile:

Optimistische Lebenseinstellung: Eine optimistische Lebenseinstellung wird sich sehr günstig auf Ihre Gesundheit auswirken.

Gesunde Lebensweise: Mit einer gesundheitsfördernden Lebensweise können Sie sich Gesundheit und Lebensjahre schenken.

Herz: Eine bessere Durchblutung regt das Wachstum neuer Blutgefäße an und kräftigt Ihr Herz.

Blut: Senkung Ihres Blutdrucks und Ihres Blutzuckerspiegels.

Gehirn: Neubildung von Nervenzellen und Stärkung der Konzentrationsfähigkeit und Gedächtnisleistung.

Stoffwechsel: Aktive Muskelzellen stellen gesundheitsfördernde Proteine her und bauen Fettgewebe ab.

Rücken: Stärkung der Rumpfmuskulatur, wodurch sich Rückenbeschwerden zurückdrängen lassen

Gelenke und Knochen: Erhöhte Produktion von Gelenkschmiere, die den Knorpel mit Nährstoffen versorgen. Mechanische Beanspruchung erhöht die Knochendichte und wirkt deshalb gegen Osteoporose.

Bewertung Bewusstsein und Verhalten

TopFitComm

Name:

Datum:

Ankreuzen entsprechend Schulnoten.	1	2	3	4	5	6
Ich bin ein einzigartiger Mensch, mit einem wertvollen Körper						
Ich bin dankbar für meine Einzigartigkeit						
Ich nutze meine Fähigkeiten und Stärken um mich weiterzuentwickeln						
Ich setze meine Fähigkeiten und Stärken bei Ehrenämtern ein						
Ich behandle meinen Körper gut und rauche nicht						
Ich bewege mich regelmäßig im Freien						
Ich mache regelmäßig Ausdauersport und Kraftgymnastik						
Ich ernähre mich gesund und vollwertig						
Ich vermeide Trunkenheit und Völlerei						
Ich bin verantwortlich für meine Gedanken						
Ich steuere meine Gedanken und nicht umgekehrt						
Ich lasse negative Gedanken gelassen vorüberziehen						
Ich mache mir dreimal häufiger positive als negative Gedanken						
Meine wahre Natur ist friedvoll, kraftvoll, klar im Denken, liebevoll, freundlich, ruhig und gelassen						
Friedvoll						
Kraftvoll						
Klar im Denken						
Liebevoll						
Freundlich						
Ruhig und gelassen						
Ich beachte wichtige Verhaltenskräfte						
Die Kraft der Toleranz						
Die Kraft der Verarbeitung						
Die Kraft, Probleme anzunehmen						
Die Kraft, zusammenzuarbeiten						
Die Kraft, zu unterscheiden						
Die Kraft des Lachens						
Die Kraft, einen Schlusspunkt zu setzen						
Die Kraft, in die Stille zu gehen						
Ich beachte wichtige Verhaltensgrundsätze						
Ich akzeptiere und achte andere wie mich selbst						
Ich sehe die Fähigkeiten und Stärken der anderen						
Ich löse mich von meinen Erwartungen						
Ich beschuldige und beleidige andere nicht						
Ich bin losgelöster, neutraler Beobachter						
Ich brauche mich nicht zu verteidigen						
Ich brauche mich nicht zu ärgern						
Ich genieße den Augenblick						
Gesamtbewertung						

Die Kraft unserer Gedanken

Verbessern Sie Ihre Gesundheit mit positiven und aufbauenden Gedanken

Kann man sich gesund denken? Wer positiv denkt, ist gesünder und lebt länger. So heißt es zumindest. Aber stimmt das? Kann uns die Psyche tatsächlich gesund – oder umgekehrt auch krank – machen? Ja! Das haben zumindest neueste Studien ergeben. Positive Gedanken und Gefühle haben einen kaum zu überschätzenden Wert für die körperliche und seelische Gesundheit und für das Wohlbefinden. Gefühle wie Optimismus und Zuversicht haben einen starken Einfluss auf unsere Gesundheit. Unsere Gedanken sind eine Großmacht, in negativer, aber auch in positiver Weise. Sie nehmen Einfluss auf unsere Gefühle, Handlungen, Neigungen und Charaktereigenschaften. Sie beeinflussen auch unsere Sprache. Die Kraft der Gedanken ist in uns allen verankert. Nur wecken müssen wir sie selber. Wer positive Gedanken für sich nutzen kann, und weiß, wie er sie umsetzt, kann allein mit Gedankenkraft wieder zu einem deutlich gesteigerten Lebensbewusstsein gelangen. Die Art und die Inhalte unseres Denkens beeinflussen auch unser Leben, unsere Beziehungen und unsere Persönlichkeit.

Der Mensch, der ich heute bin, mit meinen Charakter und meiner Persönlichkeit resultiert auch aus dem, was ich bisher gedacht habe. Das heißt also: Ich bin auch das Ergebnis meiner Gedanken, Erfahrungen und Überzeugungen.

Wann und von wem wurden die folgenden Feststellungen zu unseren Gedanken gemacht?

„ Achte auf Deine Gedanken, denn sie werden Deine Worte.
Achte auf Deine Worte, denn sie werden Deine Gefühle.
Achte auf Deine Gefühle, denn sie werden Dein Verhalten.
Achte auf Deine Verhaltensweisen, denn sie werden Deine Gewohnheiten.
Achte auf Deine Gewohnheiten, denn sie werden Dein Charakter.
Achte auf Deinen Charakter, denn er wird Dein Schicksal.
Achte auf Dein Schicksal, indem Du jetzt auf Deine Gedanken achtest."

In einer jüdischen Weisheitssammlung wird schon vor über 2000 Jahren die Wichtigkeit unserer Gedanken beschrieben.

Bewertung Bewusstsein und Verbesserungspotenziale. Die Untergruppe »Ich bin verantwortlich für meine Gedanken« mit den Einzelkriterien »Ich steuere meine Gedanken und nicht umgekehrt«. »Ich lasse negative Gedanken gelassen vorüberziehen« und »Ich mache mir dreimal häufiger positive als negative Gedanken« sind wichtige Bewertungskriterien für unser Bewusstsein. Eine wissenschaftliche Studie ergab: »Wem es gelingt, dreimal häufiger positive als negative Gedanken und Gefühle zu erleben, der bewältigt sein Leben besser«.

Leitsätze im Umgang mit unseren Gedanken. Prof. Dr. Uwe Böschemeyer nennt zehn Leitsätze im Umgang mit unseren Gedanken. Prof. Dr. Böschemeyer ist ein bekannter Psychotherapeut.

Gedanken sind Ausdruck der ganzen Persönlichkeit. Zugleich beeinflussen sie die Persönlichkeit.

Gedanken sind Ausdruck des Geistes. Zugleich lebt der Geist davon, welche Gedanken ihm vorgegeben werden.

Es gibt »zwei Seelen« im Menschen. Die eine entwickelt Gedanken, die ihn von ihm selbst entfremden, die andere entwickelt Gedanken, die ihn zu ihm selbst und auf seinen persönlichen Weg führt.

Es gibt Leit-Gedanken und Leid-Gedanken.

Die die Persönlichkeit bildenden Gedanken werden – in aller Regel – nicht im Stress geboren, sondern in der Stille.

Unangemessene Vorstellungen. Viel Gedanken, die zu zwischen-menschlichen Störungen führen, basieren auf unangemessenen Vorstellungen.

Es gibt bedrängende Gedanken, die erst dann zur Ruhe kommen, wenn sie auf ihre realen Möglichkeiten hin durchdacht werden.

Es gibt peinliche Gedanken.

Nur wenn ich fühle, was ich denke, und denke, was ich fühle, bin ich mit mir im Einklang.

Was suche ich in meinen Gedanken? Das Ja, das Jein oder das Nein zum Leben?

Denkgewohnheiten. Unsere Denkgewohnheiten – die negativen und die positiven – kennen zu lernen, sie zu ändern, zu erweitern und auszubauen gehört zu den spannendsten Aufgaben unseres Lebens. Die TopFitComm Gesundheitsmethode unterstützt diese spannende Aufgabe. Wir sollten unsere Gedanken steuern und nicht umgekehrt! Wenn wir Geduld mitbringen, werden sich unsere Denkgewohnheiten ändern und wir können unsere Ge-danken immer besser an die »Zügel« nehmen. Haben wir positive Gedanken werden wir uns gut und glücklich fühlen. Bei negativen Gedanken fühlen wir uns nicht gut und sind tendenziell unglücklich und unzufrieden. Es sind also immer unsere Gedanken, die für unseren gegenwärtigen Gemützustand verantwortlich sind. Durch unsere verinnerlichten Gedanken werden auch unsere Gefühle, Handlungen, Neigungen und Charaktereigenschaften entscheidend geprägt. Helfen uns unsere gegenwärtigen Gedanken, uns so zu fühlen, wie wir uns fühlen möchten? Die Beantwortung dieser Frage ist hilfreich bei der Bewertung von negativen Gedanken. Wir nehmen ganz bewusst negative Gedanken nicht mehr so ernst.

Positive und aufbauende Gedanken. Positive und aufbauende Gedanken gehören zu einem gesunden, glücklichen und erfolgreichen Leben wie die Luft, die Sie zum Atmen brauchen. Mit positiven Gedanken werden Sie Ihre Ziele schnell und gut realisieren können. Für unser Bewusstsein und Unterbewusstsein sind positive, aufbauende und gegenwartsbezogene Gedanken wie gesunde und vollwertige Ernährung für unseren Körper. Positive Gedanken sind der Anfang einer positiven Persönlichkeitsentwicklung. Wenn Sie von Gedanken an Gesundheit, Glück und Erfolg erfüllt sind, wird Ihr Bewusstsein und vor allem Ihr Unterbewusstsein in der Regel mit dessen Verwirklichung beginnen. Wenn Sie in Ihrem Alltag immer mehr von positiven und aufbauenden Gedanken geleitet werden, sollten Sie darauf gefasst sein, dass gesunde, glückliche und erfolgreiche Erfahrungen vor Ihnen liegen. Es ist ganz einfach: Was Sie in Ihren Gedanken kreieren, das wird Ihnen in der Regel geschehen. Nur wenn Sie Ihr Bewusstsein mit klaren positiven und aufbauenden Gedanken versorgen, kann dieses dem Unterbewusstsein positive »Muster« vermitteln. Unser Unterbewusstsein kann nur durch unsere Gedanken beeinflusst und geändert werden.

Unterbewusstsein. Unser Unterbewusstsein ist unsere Kraftzentrale, die jedes Wort, das wir sprechen, jeden Gedanken, den wir formen, als Auftrag versteht und in der Regel zur Realität werden lässt. Unsere Gedanken bestimmen, und unser Unterbewusstsein führt aus! Unser Unterbewusstsein ist im übertragenen Sinn ein »Speichermedium«. Es ist die Aufgabe eines Speichermediums, zu speichern, festzuhalten und auf Abruf das gespeicherte wiederzugeben. Unser Unterbewusstsein speichert unsere Gedanken, und es ist ihm unwichtig, von welcher Qualität unsere Gedanken sind. Es arbeitet wie ein »Dienstleister«, der unsere Wünsche erfüllen möchte und so führt es alle Befehle des Bewusstseins aus, die ihm von uns in Form von Gedanken, Wünschen und Ideen vorgesetzt werden. Mit positiven und aufbauenden Autosuggestionen können wir unser Unterbewusstsein neu programmieren und verändern.

Autosuggestion. Autosuggestion ist eine Suggestion zur Selbstbeeinflussung. Nach wissenschaftlichen Erkenntnissen können wir unsere physische und psychische Gesundheit dadurch verbessern, indem wir uns wiederholt und regelmäßig gesundheitsfördernde Suggestionen bzw. Autosuggestionen machen. Mit Autosuggestion zu arbeiten bedeutet, mit seinem Unterbe-wusstsein zu kooperieren. Ständig wiederholte Suggestionen haben einen allmählichen, aber gravierenden Bewusstseinswandel zur Folge. In jedem von uns schlummern viele persönlichkeits- und gesundheitsfördernde Potenziale und Ressourcen, die wir durch gezielte Suggestionen freisetzen können. Durch den Einsatz von Autosuggestionen können Widerstandskräfte gegen Stress, Burnout, Depression und Demenz gestärkt und Lebenskrisen, Schicksalsschläge, seelische und körperliche Probleme besser bewältigt werden. Viele Verhaltensweisen und Einstellungen haben ihren Ursprung in unserem Unterbewusstsein. Wenn Sie sich ändern wollen, gilt es vor allem die Kräfte des Unterbewusstseins zu nutzen. Und dafür eignet sich die Autosuggestion sehr gut, denn durch diese Methode können wir unserem Unterbewusstsein entsprechende Botschaften senden.

Autosuggestives TopFitComm® Resilienztraining. Die Bewusstseins- und Verhaltensregeln der TopFitComm Gesundheitsmethode werden durch Ihr regelmäßiges autosuggestives Resilienztraining Teil Ihres Unterbewusstseins und es wird Ihre Lebenseinstellung, Lebensweise und Lebenszufriedenheit positiv und nachhaltig verändern. Mit Ihrem regelmäßigen autosuggestiven Resilienztraining können Sie Ihre Gesundheit verbessern und Ihre Gesundheit in Richtung des Gesundheitspols verschieben. Mit der TopFitComm Gesundheitsmethode und mit Ihrem regelmäßigen TopFitComm Resilienztraining können Sie ihre Persönlichkeit sehr vorteilhaft und nachhaltig entwickeln und zu einem Vorbild in Ihrem Umfeld werden.

Wir sind einzigartige Menschen

Freuen Sie sich über Ihre Fähigkeiten und Stärken und entwickeln Sie Ihre Persönlichkeit

Wie erkennen und verstehen wir unsere Einzigartigkeit. Wenn wir das Ziel haben, als Mensch und als Persönlichkeit zu wachsen, werden wir uns zwangsläufig selbst besser kennenlernen. Dieses »sich selbst besser kennenlernen« ist sehr wichtig für unsere Persönlichkeitsentwicklung. Wenn wir uns selbst immer besser kennenlernen, wird sich unsere Stimmigkeit mit uns selbst und mit unseren Mitmenschen verbessern. Auch unsere zwischenmenschlichen Beziehungen werden dadurch gefördert und vertieft. Sich selbst besser zu kennen und zu verstehen bedeutet: Dass wir wissen, wie wir selbst »ticken« und welche persönlichen Eigenschaften wir haben. Dass wir wissen, was wir brauchen, um uns gut und zufrieden zu fühlen. Dass wir wissen, welche Fähigkeiten und Stärken wir haben. Dass wir wissen, was uns wichtig ist und uns etwas bedeutet. Mit der TopFitComm Gesundheitsmethode und der »Bewertung Bewusstsein und Verhalten« lernen Sie sich immer besser selbst kennen und können so Ihre Stimmigkeit mit sich selbst und mit Ihren Mitmenschen verbessern.

Wichtige Grundprinzipien der Persönlichkeitsentwicklung. Wie sich unsere Persönlichkeit entwickelt, hängt stark von unserer persönlichen Einstellung ab. Mit einer optimistischen Lebenseinstellung sagen wir »ja« zu unserem Leben. Wir sind aufgeschlossen und offen gegenüber neuen Denkweisen und neuen Menschen. Dies ist eine wichtige Grundvoraussetzung für persönliches Wachstum. Wir übernehmen Verantwortung für unser Leben und unsere Gesundheit. Wir sind die Steuerfrau bzw. der Steuermann für unser Leben. Wir sagen ja zu unserem Leben. Wir können uns jederzeit dazu entscheiden, unser Leben so anzunehmen, wie es gerade ist. Dieses Annehmen sollten wir mit einer optimistischen Lebenseinstellung verbinden. Persönliche Entwicklung braucht Zeit. Wir können unsere Gewohnheiten nicht über Nacht umkrempeln. Bei unserer Persönlichkeitsentwicklung ist deshalb besonders Ausdauer gefragt.

Einzigartigkeit erkennen und Persönlichkeit entwickeln. Mit der TopFitComm Gesundheitsmethode und der »Bewertung Bewusstsein und Verhalten« können Sie feststellen, wie Sie die Grundprinzipien der Persönlichkeitsentwicklung selbst beachten und umsetzen.

Um welche Grundprinzipien und Bewertungskriterien geht es?

Ich bin ein einzigartiger Mensch, mit einem wertvollen Körper
Ich bin dankbar für meine Einzigartigkeit
Ich nutze meine Fähigkeiten und Stärken um mich weiterzuentwickeln
Ich setze meine Fähigkeiten und Stärken bei Ehrenämtern ein
Ich behandle meinen Körper gut und rauche nicht
Ich bewege mich regelmäßig im Freien
Ich mache regelmäßig Ausdauersport und Kraftgymnastik
Ich ernähre mich gesund und vollwertig
Ich vermeide Trunkenheit und Völlerei

Was sind die wesentlichen Aspekte und Merkmale der Grundprinzipien der Persönlichkeitsentwicklung?

Ich bin ein einzigartiger Mensch, mit einem wertvollen Körper. Mit dieser Bewusstseinsregel und dem autosuggestiven TopFitComm Resilienztraining wollen wir unsere Einzigartigkeit immer besser verinnerlichen und uns über unsere Einzigartigkeit freuen. Wir sind dankbar für unsere Einzigartigkeit, denn wir wissen, niemand sonst hat genau die gleiche Zusammensetzung von Eigenschaften. Wir freuen uns über unsere Fähigkeiten und Stärken und nutzen diese, um uns kontinuierlich weiterzuentwickeln. Wenn wir unsere Fähigkeiten und Stärken nicht nur zu unserem Vorteil, sondern auch bei Ehrenämtern, zum Beispiel für soziale, gemeinnützige und gesellschaftliche Aufgaben einsetzen, können wir unsere Lebenszufriedenheit steigern. Wer hilft, tut dabei auch etwas für sich. Wissenschaftliche Untersuchungen zeigen, dass ehrenamtliche Tätigkeiten beim Stressabbau helfen, und sie wirken erholsam. Sogar dann, wenn sie anstrengend und zeitaufwendig sind. Die »Bereitschaft zum Lernen« und zum »lebenslangen Lernen« soll eine sehr wichtige Grundhaltung unseres Lebens werden und unsere Persönlichkeit prägen. Henry Ford sagte einmal in diesem Zusammenhang: *„Wer aufgehört hat, zu lernen, ist alt. Er mag zwanzig oder achtzig Jahre alt sein."*

Es ist gut, wenn wir in der Stille unsere Fähigkeiten und Stärken definieren und vielleicht auch für uns selbst dokumentieren. Haben wir besondere Fähigkeiten und Stärken wie Flexibilität, Kommunikationsfähigkeit, Motivationsfähigkeit, Fairness, Loyalität, Besonnenheit, Führungsfähigkeit, Teamfähigkeit usw.?

Bei dieser Bewusstseinsregel soll uns auch noch bewusster werden, wie wertvoll unser Körper ist und dass es sich lohnt, unseren Körper gut zu behandeln. Dieses immer mehr verinnerlichte gesundheitsfördernde Bewusstsein wird uns zu Maßnahmen inspirieren, die unserem Körper gut tun. Wir werden das Rauchen aufgeben. Wir werden das ein oder andere Glas Bier oder Wein weniger trinken. Wir werden Süßigkeiten eher widerstehen, um unseren Körper nicht unnötig zu belasten. Wir werden uns gesünder und vollwertiger ernähren. Trunkenheit und Völlerei werden wir immer konsequenter vermeiden. Wir werden uns mehr in der freien Natur bewegen und mehr Ausdauersport betreiben. Wir werden regelmäßig das autosuggestive TopFitComm Resilienztraining machen. Nach dem Motto: *„Tu deinem Leib etwas Gutes, damit deine Seele Lust hat, darin zu wohnen.“* Theresa von Ávila.

Ich bin verantwortlich für meine Gedanken. Wir sind verantwortlich für unsere Gedanken! Wie wir den gegenwärtigen Augenblick erleben, wie wir uns fühlen und wie unser Gemütszustand ist, wird entscheidend von unseren Gedanken geprägt. Darüber haben wir ja bereits in Verbindung mit dem Thema »Die Kraft unserer Gedanken« gesprochen. Haben wir positive und aufbauende Gedanken werden wir uns in der Regel gut und glücklich fühlen. Bei negativen Gedanken fühlen wir uns tendenziell nicht gut und sind eher unglücklich und unzufrieden. Wenn wir Geduld mitbringen, werden sich unsere Denkgewohnheiten ändern und wir können unsere Gedanken immer besser an die »Zügel« nehmen. Wir steuern unsere Gedanken und nicht umgekehrt! Helfen uns unsere gegenwärtigen Gedanken, uns so zu fühlen, wie wir uns fühlen möchten? Die Beantwortung dieser Frage ist hilfreich bei der Bewertung von negativen Gedanken.

Mit diesen Kriterien können Sie Ihre aktuellen Lebenskompetenzen hinsichtlich Ihrer Gedanken bewerten:

Ich bin verantwortlich für meine Gedanken
Ich steuere meine Gedanken und nicht umgekehrt
Ich lasse negative Gedanken gelassen vorüberziehen
Ich mache mir dreimal häufiger positive als negative Gedanken

Durch unsere verinnerlichten Gedanken werden auch unsere Gefühle, Handlungen, Neigungen und Charaktereigenschaften geprägt. Somit sind wir auch selbst verantwortlich für unsere Gefühle, Handlungen, Neigungen und Charaktereigenschaften. Unsere Gedanken haben eine große Kraft – in positiver und negativer Weise. Sie prägen die Art wie wir leben und wie wir mit anderen Menschen umgehen. Durch unser Denken wird auch sehr stark unsere Persönlichkeit geprägt. Durch unnütze, zweifelnde und negative Gedanken und den daraus resultierenden Handlungen wird ein großer Teil unserer Energie gebunden und teilweise vergeudet. Für unseren Geist sind positive, aufbauende und gegenwartsbezogene Gedanken wie gesunde und vollwertige Ernährung für unseren Körper.

Meine wahre Natur ist friedvoll, kraftvoll, klar im Denken, liebevoll, freundlich, ruhig und gelassen. Bei dieser Bewusstseinsregel beschäftigen wir uns mit uns selbst. Was ist unsere wahre Natur? Unsere wahre Natur ist friedvoll, kraftvoll, klar im Denken, liebevoll, freundlich, ruhig und gelassen. Haben wir den Wunsch, unsere wahre Natur immer besser zu berücksichtigen und umzusetzen, so müssen wir auch anfangen genauso über uns zu denken. Wir müssen immer besser die hohe Qualität unserer wahren Natur erkennen und verinnerlichen. Natürlich stellen wir im Alltag häufig fest, dass wir uns teilweise sehr abweichend zu unserer wahren Natur verhalten. Wir wissen aber, dass diese Abweichungen nur Störungen sind, die wir selbst verursachen. Je mehr wir verinnerlichen, was unsere wahre Natur ist, desto weniger Störungen werden wir feststellen.

Mit diesen Kriterien können Sie Ihre aktuellen Lebenskompetenzen hinsichtlich Ihrer wahren Natur bewerten:

Meine wahre Natur ist friedvoll, kraftvoll, klar im Denken, liebevoll, freundlich, ruhig und gelassen mit den einzelnen Kriterien: Friedvoll. Kraftvoll. Klar im Denken. Liebevoll. Freundlich. Ruhig und gelassen.

Durch die Beachtung und Verinnerlichung der Bewusstseinsregeln der TopFitComm Gesundheitsmethode soll folgendes erreicht werden: Förderung des Interesses für eine persönlichkeits- und gesundheitsfördernde Lebenseinstellung und Lebensweise. Die Übernahme von mehr Verantwortung für das eigene Handeln, um in jeder Lebensphase den individuellen Weg zu mehr Gesundheit zu finden. Mehr Achtsamkeit für die Signale des Körpers entwickeln, um falsche Verhaltensweisen zu erkennen und individuelle Fähigkeiten zu entwickeln. Förderung der Erkenntnis, dass wir alle mehr Verantwortung für die eigene Gesundheit übernehmen sollten.

Privater und beruflicher Erfolg

So können Sie Ihre Zusammenarbeit in Ihrem privaten und beruflichen Umfeld verbessern

Erfolgsfaktoren einer guten Zusammenarbeit. Nur in einem guten Arbeitsklima engagiert man sich gern und erfolgsorientiert. Das gilt für die Zusammenarbeit im privaten und beruflichen Umfeld. Hektik und Stress prägen heute nicht nur die Zusammenarbeit im beruflichen Alltag sondern auch zunehmend die Zusammenarbeit im privaten Bereich. Nutzen Sie jede Chance, die Zusammenarbeit und das Arbeitsklima positiv zu beeinflussen. Ein unfreundlicher, unhöflicher Umgang miteinander wirkt sich negativ auf die Zusammenarbeit und das Arbeitsklima aus. Mit der TopFitComm Gesundheitsmethode können Sie zum Vorbild für eine gute Zusammenarbeit werden. Die TopFitComm Gesundheitsmethode und das autosuggestive TopFitComm Resilienztraining sind eine sehr gute Basis für eine offene, vertrauensvolle und wertschätzende Zusammenarbeit in Ihrem privaten und beruflichen Umfeld.

Bewertung Verhalten und Verbesserungspotenziale. Mit diesen Kriterien können Sie Ihre aktuellen Lebenskompetenzen hinsichtlich Ihrem Verhalten bewerten:

Ich beachte wichtige Verhaltenskräfte

Die Kraft der Toleranz
Die Kraft der Verarbeitung
Die Kraft, Probleme anzunehmen
Die Kraft, zusammenzuarbeiten
Die Kraft, zu unterscheiden
Die Kraft des Lachens
Die Kraft, einen Schlusspunkt zu setzen
Die Kraft, in die Stille zu gehen

Diese einzelnen Verhaltensregeln bzw. Verhaltenskräfte wollen wir uns jetzt gemeinsam etwas genauer ansehen.

Ich beachte wichtige Verhaltenskräfte. Die Beachtung und Verinnerli-chung der Verhaltenskräfte der TopFitComm Gesundheitsmethode wirkt sich sehr positiv auf unsere Zusammenarbeit aus. Die Zusammenarbeit und das Zusammenwirken in der Familie, in Vereinen, Organisationen, Unternehmen, Betrieben und Verwaltungen werden deutlich verbessert. Wir werden weniger Konflikte und Streit mit anderen Personen in unserem privaten und beruflichen Umfeld haben. Unsere zwischenmenschlichen Beziehungen werden nachhaltig intensiver und fruchtbarer. Mit der TopFit-Comm Gesundheitsmethode und dem TopFitComm Resilienztraining können Sie einzigartig und effektiv wichtige Verhaltensregeln und Lebensgrundsätze in Ihrem Bewusstsein und Unterbewusstsein verankern.

Die Kraft der Toleranz. Toleranz bedeutet Respekt, Akzeptanz und Anerkennung gegenüber anderen Personen und Kulturen. Toleranz ist Harmonie über Unterschiede hinweg. Toleranz bedeutet die Anerkennung der Tatsache, dass alle Menschen, natürlich mit allen Unterschieden ihrer Erscheinungsform, Sprache, Verhaltensweisen und Werte, das Recht haben, in Frieden zu leben und so zu bleiben, wie sie sind. Toleranz muss von uns immer wieder geübt werden. Toleranz ist wichtig und notwendig sowohl zwischen Einzelnen als auch in Familien, Gemeinschaften, Betrieben und Verwaltungen. Toleranz wird gefördert durch Wissen, Offenheit, Kommunikation und der Freiheit des Denkens und des Glaubens. Toleranz bedeutet auch, dass wir die Überzeugungen und Ansichten anderer akzeptieren und nicht versuchen, ihnen unsere Überzeugungen und Ansichten aufzuzwingen. Unsere heutige Zeit ist gekennzeichnet durch Globalisierung der Wirtschaft sowie der zunehmenden Mobilität und Kommunikation. Bei diesem Umfeld ist Toleranz wichtiger als je zuvor.

Die Kraft der Verarbeitung. Die Kraft der Verarbeitung bedeutet, dass wir alle Ereignisse, ob positive oder negative, in uns »verarbeiten«. Dies ist vor allem bei schwierigen und belastenden Ereignissen sehr wichtig. Mit dieser Verhaltenskraft können wir selbst Diffamierungen so verarbeiten, dass wir nichts Negatives über andere weitersagen. Die Kraft der Verarbeitung wirkt sich sehr günstig auf die Zusammenarbeit mit anderen Personen in unserem privaten und beruflichen Umfeld aus. Wir können uns einen großen See als »Vorbild« nehmen. Obwohl in diesen See einige Flüsse münden und obwohl kräftige Stürme meterhohe Wellen erzeugen, ist der See bereits dicht unter der Wasseroberfläche still und ruhig. Der See »verarbeitet« kräftige Stürme und einmündende Flüsse optimal. Mit der Kraft der Verarbeitung können wir ruhig und gelassen bleiben, egal was auf uns »einstürmt« und bei uns »einmündet«.

Die Kraft, Probleme anzunehmen. Wir wissen, Probleme und Schwierigkeiten sind Bestandteil unseres Lebens. Probleme und Schwierigkeiten sind Gelegenheiten uns persönlich weiterzuentwickeln. Wissenschaftliche Untersuchungen zeigen, dass Herausforderungen auf lange Sicht glücklicher machen, als wenn wir uns immer nur in der Komfortzone des Gewohnten bewegen. Wir sehen uns nicht als »Opfer« von Problemen und Schwierigkeiten. Wir sind keine Marionetten von negativen Ereignissen, sondern sitzen selbst am »Steuer«. Wir lassen uns von Problemen, Lebensumständen, Lebenskrisen und Schicksalsschlägen nicht unterkriegen. Wir resignieren nicht, sondern suchen mit Optimismus nach Lösungen. Mit dieser Lebenseinstellung können wir uns von Fehlschlägen und Niederlagen schnell erholen. Eine systematische Vorgehensweise mit einer Problembeschreibung, Beschreibung der Problemursachen und dokumentierten Maßnahmen für die Problembeseitigung hilft uns, Probleme zu lösen.

Die Kraft, zusammenzuarbeiten. Bei dieser Verhaltenskraft ist es wichtig, dass wir bei allen Personen, mit denen wir zusammenarbeiten, vor allem deren Fähigkeiten und Stärken sehen. Eine gute Voraussetzung für eine harmonische und konstruktive Zusammenarbeit in unserem privaten und beruflichen Umfeld ist die Fähigkeit, dem anderen durch Worte und Handlungen zu zeigen, dass wir ihm wohlwollend und hilfreich gegenüberstehen. Wann haben Sie in diesem Zusammenhang zuletzt jemanden aufrichtig gedankt? Wenn Sie zum Beispiel froh und dankbar sind Teil eines Teams zu sein, so sagen Sie es Ihren Teammitgliedern. Das schafft Verbundenheit und fördert die Zusammenarbeit. Drücken Sie immer wieder einmal Ihre Dankbarkeit gegenüber Ihren Familienangehörigen, Ihren Arbeitskollegen usw. mit ganz konkreten Worten Ihrer Dankbarkeit aus. Wir sollten grundsätzlich eine positive Einstellung gegenüber unseren Mitmenschen haben.

Die Kraft, zu unterscheiden. Wenn wir alles, was um uns herum geschieht, losgelöst und mit Abstand beobachten, werden wir immer besser unterscheiden können, was richtig und was falsch ist. Mit diesem Blick von »oben« bzw. aus der »Vogelperspektive« sind manche großen Probleme und Schwierigkeiten gar nicht mehr so groß und gravierend. Wir sollten uns ganz bewusst von einem aktuellen Problem entfernen, um Abstand zu gewinnen und den Blick von »oben« zu ermöglichen. Dies ist vergleichbar mit einem Künstler, der ganz bewusst einige Schritte zurückgeht, um sein Bild zu begutachten. Der Blick von »oben« bzw. aus der »Vogelperspektive« lässt uns Zusammenhänge erkennen und fördert unsere Entscheidungsfähigkeit. Identifizieren wir uns zu sehr mit einem Problem oder Ereignis, werden wir vielleicht Teil dieses Problems. Wir werden von diesem Problem verein-nahmt und können nicht mehr frei und unabhängig unterscheiden.

Die Kraft des Lachens. Lachen ist gesund! Lachen ist eine gute Medizin für unseren Körper, unseren Geist und unsere Seele. Wenn wir fröhlich sind und lachen, fühlen wir uns gut. Wir gewinnen Abstand zu unseren Alltagsproblemen. Darüber haben wir ja detailliert in Verbindung mit dem Thema »Die Kraft des Lachens« gesprochen. Durch Lachen werden bis zu 400 Mus-keln bewegt. Das Zwerchfell wird trainiert und der Sauerstoffgehalt im Kör-per steigt. Für ein stabiles Herz-Kreislauf-System empfehlen Wissenschaftler, neben regelmäßiger sportlicher Betätigung, jeden Tag mindestens 15 Minu-ten zu lachen. Beim Lachen sind Kinder spitze. Bringen es Erwachsene im Schnitt auf 15 - 20 Lacher am Tag, schaffen es Kinder mühelos 300 Mal.

Die Kraft, einen Schlusspunkt zu setzen. Hinter jedem Ereignis setzen wir gedanklich ganz bewusst einen Schlusspunkt. Wir klagen und hadern nicht über Vergangenes. Mit unserem Schusspunkt akzeptieren wir auch unerfreuliche und belastende Ereignisse nach dem Motto: „Es ist, wie es ist". Diesen gedanklichen Schlusspunkt setzen wir auch am Ende des Tages. Wir lassen die positiven Erlebnisse und Begegnungen dankbar an uns vorüberziehen und werfen alles Negative vom Tage in einen »Mülleimer« und ver-schwenden keine Gedanken mehr darüber. Mit dieser Übung, vor dem Einschlafen, werden wir am Morgen ausgeruht und unbeschwert aufwachen. Erfahrungen und Erkenntnisse sind das einzige, was wir aus der Vergangenheit mitnehmen, um zu überlegen, wie wir diese Erfahrungen und Erkenntnisse in der Zukunft berücksichtigen können. Erfahrungen und Erkenntnisse sind ein wertvoller »Schatz«, den wir künftig beachten und nutzen sollten.

Die Kraft, in die Stille zu gehen. Mit dieser Verhaltensregel können wir uns regenerieren und neu stärken. Nach Phasen intensiver Zusammenarbeit mit anderen Personen und nach Phasen anstrengender Arbeit müssen wir uns erholen. In der Stille können wir uns körperlich und seelisch entspannen und unseren Geist beruhigen. Was in unserer lauten und hektischen Zeit, mit einer Unmenge an Informationen und vielfältigen Eindrücken, besonders fehlt, sind Ruhe und Stille. Weise Menschen aus unterschiedlichen Ländern und Kulturen kennen schon seit Jahrhunderten ein wirksames Mittel, um unseren Geist zur Ruhe zu bringen. Überwiegend wird dieses Mittel als Entspannungsübung und Meditation beschrieben. Mit dieser Verhaltenskraft gewinnen wir Distanz zu unserem Alltagsleben und können Sorgen und Ängste loslassen.

Konflikte und Stress vermeiden

So stärken Sie Ihr Selbstbewusstsein u. verbessern Ihre zwischenmenschlichen Beziehungen

Wo Menschen miteinander zu tun haben, da gibt es auch Konflikte. Die werden je nach Typ und Temperament wortreich, aggressiv, sachlich oder schweigend ausgetragen. Wie lassen sich Konflikte und damit auch ungesunder Stress vermeiden bzw. minimieren? Häufig entsteht ein unnötiger Konflikt bzw. Streit in Stresssituationen und kann vermieden werden, wenn man etwas Abstand zum Konflikt gewinnt. Zum Beispiel eine Nacht darüber schlafen kann helfen, den Konflikt zu entschärfen. Manchmal ist der Konfliktpunkt sogar am nächsten Morgen verschwunden. Auch mit Verständnis und Respekt können Konflikte entschärft werden. Hören Sie Ihrem Gegenüber zu, geben Sie ihm das Gefühl, dass Ihnen seine Meinung wichtig ist. Konflikte haben auch ihre gute Seite, sie zeigen, wo die Dinge im privaten oder beruflichen Umfeld nicht so optimal laufen. Damit erzeugen sie häufig den notwendigen und wertvollen Druck für Veränderungen. Mit der TopFit-Comm Gesundheitsmethode und dem autosuggestiven TopFitComm Resilienztraining können Sie Ihr Selbstbewusstsein stärken und Ihre zwischenmenschlichen Beziehungen verbessern.

Bewertung Verhalten und Verbesserungspotenziale. Mit diesen Kriterien können Sie Ihre aktuellen Lebenskompetenzen hinsichtlich Ihrem Verhalten bewerten:

Ich beachte wichtige Verhaltensgrundsätze

Ich akzeptiere und achte andere wie mich selbst
Ich sehe die Fähigkeiten und Stärken der anderen
Ich löse mich von meinen Erwartungen
Ich beschuldige und beleidige andere nicht
Ich bin losgelöster, neutraler Beobachter
Ich brauche mich nicht zu verteidigen
Ich brauche mich nicht zu ärgern
Ich genieße den Augenblick

Diese einzelnen Verhaltensregeln bzw. Verhaltensgrundsätze wollen wir uns jetzt gemeinsam etwas genauer ansehen.

Ich beachte wichtige Verhaltensgrundsätze. Die Beachtung und Verinnerlichung der Verhaltensgrundsätze der TopFitComm Gesundheitsmethode werden ihre zwischenmenschlichen Beziehungen und Ihre Einstellung gegenüber sich selbst sehr grundlegend verbessern. Konflikte, Streit und Auseinandersetzungen mit anderen Personen werden, zu Gunsten einer besseren und effizienteren Zusammenarbeit, erheblich minimiert. Das Zusammenwirken und Zusammenleben mit dem Ehe- oder Lebenspartner und das Familienleben werden harmonischer und nachhaltig besser. Mit der TopFit-Comm Gesundheitsmethode und dem autosuggestiven TopFitComm Resilienztraining können Sie einzigartig und effektiv wichtige Verhaltenregeln und Lebensgrundsätze in Ihrem Bewusstsein und Unterbewusstsein verankern.

Ich akzeptiere und achte andere wie mich selbst. Dieser Verhaltensgrundsatz prägt unser Zusammenwirken mit anderen Personen in unserem privaten und beruflichen Umfeld sehr entscheidend. Nur wenn wir den Partner und unsere Mitmenschen nicht nach unseren Vorstellungen formen wollen, können wir unseren Partner und unsere Mitmenschen akzeptieren und achten, wie sie sind. Es ist auch sehr wichtig, dass wir ein gutes Verhältnis zu uns selbst haben. Jeder Mensch braucht von sich selbst eine positive Einschätzung. Wenn uns immer mehr bewusst ist, dass wir einzigartig sind und uns selbst akzeptieren und achten, wie wir sind, dann werden wir ein positives Selbstwertgefühl haben. Mit so einem Selbstwertgefühl werden wir auch andere so akzeptieren und achten wie sie sind. Denn wir wissen, dass auch sie einzigartig sind. Wenn wir ganz bewusst unsere Mitmenschen akzeptieren und achten, auch die, die nicht unsere Freunde sind, werden wir schnell merken, wie gut das für unsere zwischenmenschlichen Beziehungen ist und wie gut das auch uns selbst tut.

Ich sehe die Fähigkeiten und Stärken der anderen. Wir wissen, dass wir alle unterschiedliche Fähigkeiten und Stärken, aber auch unterschiedliche Schwächen haben. Indem wir uns bewusst darauf konzentrieren, die Fähigkeiten und Stärken unserer Mitmenschen zu erkennen, werden wir eine wesentlich bessere Zusammenarbeit in unserem privaten und beruflichen Um--feld realisieren können. Mit diesem Verhaltensgrundsatz können wir viel besser die eventuelle Flexibilität, Kommunikationsfähigkeit, Teamfähigkeit, Organisationsfähigkeit, Motivationsfähigkeit, Problemlösungsfähigkeit, Führungsfähigkeit usw. unserer Mitmenschen erkennen. Gerade im beruflichen

Bereich wird so ein Verhalten dazu führen, dass Kollegen und Mitarbeiter nicht nur ihre Fähigkeiten und Stärken ausbauen, sondern auch ihre Schwächen abbauen. Dieser Verhaltensgrundsatz ist besonders wichtig für Führungskräfte. Die Mitarbeiter können hierdurch wesentlich besser und zielgenauer gefördert werden.

Ich löse mich von meinen Erwartungen. Haben wir zu viele und zu hohe Erwartungen an unser Umfeld und vor allem an unsere Mitmenschen, haben wir ein Problem. Durch diese Erwartungen geraten wir in Abhängigkeit. Denn werden unsere Erwartungen nicht erfüllt, fühlen wir uns enttäuscht und unzufrieden. Lösen wir uns von Erwartungen, wie sich zum Beispiel unsere Mitmenschen verhalten sollten, dann vermeiden wir solche Abhängigkeiten. Alles, was wir selbst nicht beeinflussen können, brauchen wir nicht mit Erwartungen überziehen. Wir können uns von Erwartungen lösen, wie sich zum Beispiel die Kassiererin, im Supermarkt, unser Postbote oder unser Nachbar verhalten sollten. Wenn wir unsere Erwartungen auf ein Minimum reduzieren, werden wir vielleicht eine Reihe schöner Überraschungen erleben.

Ich beschuldige und beleidige andere nicht. Beschuldigungen und Beleidigungen stören sehr stark das Zusammenleben und die Zusammenarbeit. Haben wir andere Personen beschuldigt oder beleidigt, so kostet es viel Zeit, Einsatz und Energie, um mit diesen Personen wieder eine normale und entspannte Beziehung zu haben. Auch mit Kritik an anderen Personen sollten wir sehr vorsichtig sein, denn Kritik kann weh tun. Wenn Kritik nach reiflicher Überlegung notwendig ist, sollte diese nur unter vier Augen ausgesprochen werden. Kritik sollte auch nie spontan geäußert werden. Besser ist es, eine als ärgerlich empfundene Situation erst zu überdenken oder auch zu überschlafen. Das gilt für unseren privaten und beruflichen Bereich, unter Kollegen genauso wie für den Chef, der an einen Mitarbeiter etwas auszusetzen hat.

Ich bin losgelöster, neutraler Beobachter. Wenn wir jedes Ereignis, ohne festgelegte Erwartungen, losgelöst und neutral beobachten, können wir auf jedes Ereignis souverän und gelassen reagieren. Wir können alles um uns herum wie ein »Theaterspiel« sehen. Alle unsere Mitmenschen in unserem privaten und beruflichen Umfeld spielen ihre »Rolle«. Wir nehmen ganz bewusst die Position des losgelösten, neutralen Beobachters ein. Diese

Position bietet uns eine gute Übersicht. Uns fallen plötzlich Dinge auf, die uns als Beteiligte entgangen wären. Wir selbst sind Schauspieler, Zuschauer oder Regisseur. In allen Fällen sind wir jedoch losgelöste und neutrale Beobachter des gesamten »Theaterspiels«. Aus dieser losgelösten und neutralen Beobachterposition können wir das »Theaterspiel« sehr gut analysieren und mit Übersicht und Gelassenheit notwendige Veränderungen anstoßen.

Ich brauche mich nicht zu verteidigen. Wenn uns andere beschuldigen oder beleidigen, brauchen wir uns nicht zu verteidigen. Wir vermeiden dadurch das Spiel »Angriff und Verteidigung«. Dieses Spiel kostet viel Kraft und Energie und wirkt sich negativ auf unsere zwischenmenschlichen Beziehungen aus. Wir halten Blickkontakt und fragen den anderen ruhig und gelassen, was der Grund für seine Beschuldigung oder Beleidigung ist. So zeigen wir, dass uns seine Meinung wichtig ist. Wir lassen den anderen ausreden und vermeiden Schuldzuweisungen und persönliche Anspielungen. Die Situation wird dadurch beruhigt und entkrampft. In so einer Situation sollten wir unsere Ohren stärker einsetzen als unseren Mund. Wir hören einfach zu und lassen den anderen auch seine Gefühle und Emotionen loswerden, ohne das wir uns gleich verteidigen.

Ich brauche mich nicht zu ärgern. Wir ärgern uns häufig über Dinge, die wir selbst nicht beeinflussen können – nicht nur über das Wetter. Und vor lauter Ärger verlieren wir so viel Energie, dass wir das, was wir ändern können, erst gar nicht in Angriff nehmen. Ärger raubt uns nicht nur Kraft und Energie, sondern wirkt sich auch noch sehr negativ auf unser Wohlbefinden und unsere Gesundheit aus. Wir ärgern uns über Probleme, Ereignisse, über andere und über uns selbst. Wir sind nicht einverstanden, was um uns herum geschieht, und ärgern uns deshalb. Wir müssen aber erkennen, dass das, worüber wir uns ärgern, von unserem Ärger unbeeindruckt ist. Durch unseren Ärger hat sich nichts geändert. Uns muss immer bewusster werden, dass kein Umstand, keine andere Person die Macht hat, uns zu ärgern. Nur wir selbst können uns ärgern, über alles und jeden. Wir können uns aber auch das Ärgern abgewöhnen!

Ich genieße den Augenblick. Die Gegenwart und der Augenblick sind die einzige Zeit, in der wir unser Leben wirklich wahrnehmen, gestalten und genießen können. Unsere Achtsamkeit ist ein hervorragender Gegenwartsanker. Neugierig, offen, aufgeschlossen und ohne Wertung nehmen wir den gegenwärtigen Moment, den Augenblick, war. Der Augenblick, den wir gerade wahrnehmen ist einzigartig. Diesen Augenblick, der nie wiederkommt, können wir frei nach unseren Wünschen gestalten. Auch unser aufmerksames und achtsames Zuhören bei Gesprächen dient uns als Gegenwartsanker. Wir schweifen mit unseren Gedanken, Augen und unserem Verhalten nicht ab. Von unserem Gesprächspartner wird dies mit Sicherheit positiv registriert. Mit der TopFitComm Gesundheitsmethode und dem TopFit-Comm Resilienztraining werden Sie immer intensiver die Gegenwart und den Augenblick wahrnehmen und genießen können.

Bewegung für die Gesundheit

So fördern Sie Ihre physische und psychische Gesundheit und Fitness

Regelmäßige Bewegung fördert das körperliche Wohlbefinden und bringt das Gehirn auf Touren. Das gilt nicht nur für junge Menschen sondern für Menschen jeden Alters. Bewegung und Ausdauersport als Investition in die Gesundheit kennt keine Altersgrenze. „Bewegung und Ausdauersport ist eine sehr wirksame Anti-Aging-Methode", sagt Prof. Dr. Gerhard Huber, vom Institut für Sport und Sportwissenschaften der Universität Heidelberg. „Muskulatur und das Herz-Kreislauf-System sind ein Leben lang positiv veränderbar. Trainierte Muskeln bremsen Entzündungsprozesse im Körper, die als Ursprung von Krankheiten gelten". Unzureichende Bewegung führt zur Rückbildung körperlicher Strukturen und eingeschränkter Leistungsfähigkeit der verschiedenen Organsysteme. Mit Bewegung und Ausdauersport können viele sogenannte »Volkskrankheiten« vermieden bzw. in Grenzen gehalten werden.

Bewegung, Ausdauersport und Kraftgymnastik. Regelmäßige Bewegung und Kraftgymnastik bzw. Gesundheitsgymnastik sowie regelmäßiger Ausdauersport fördern unsere Gesundheit und Fitness. Wer sich viel bewegt sowie Ausdauersport und Kraftgymnastik macht, der bleibt nicht nur länger geistig fit, sondern auch länger selbständig. Regelmäßiges Trainieren fördert Kraft, Geschicklichkeit und Koordination. Es verringert auch in höherem Alter die Sturzgefahr. Wer sich körperlich fit hält und sich zugleich gesund ernährt, kann zum Beispiel das Risiko an Alzheimer oder einer anderen Form der Demenz zu erkranken, um bis zu 60 Prozent senken. Das haben Wissenschaftler der Columbia-Universität in New York herausgefunden. Ausdauersport stärkt rundum: Typische Ausdauersportarten sind zum Beispiel Walking, Nordic Walking, Joggen, Radfahren, Skilanglauf oder Radfahren auf dem Ergometer. Falls Sie bisher keinen oder ganz wenig Sport getrieben haben und älter als 35 Jahre sind, ist ein sportmedizinischer Check beim Hausarzt vor dem Trainingsstart empfehlenswert. Drei- bis viermal die Woche mindestens eine halbe Stunde Bewegung und Ausdauersport sind zu empfehlen.

Bewertung Bewusstsein und Verbesserungspotenziale. Mit diesen Kriterien können Sie Ihre aktuellen Lebenskompetenzen hinsichtlich Bewegung, Ausdauersport und Kraftgymnastik bewerten:

Ich bin ein einzigartiger Mensch mit einem wertvollen Körper

Ich bin dankbar für meine Einzigartigkeit
Ich nutze meine Fähigkeiten und Stärken um mich weiterzuentwickeln
Ich setze meine Fähigkeiten und Stärken bei Ehrenämtern ein
Ich behandle meinen Körper gut und rauche nicht
Ich bewege mich regelmäßig im Freien
Ich mache regelmäßig Ausdauersport und Kraftgymnastik
Ich ernähre mich gesund und vollwertig
Ich vermeide Trunkenheit und Völlerei

Die relevanten Bewertungskriterien für Bewegung, Ausdauersport und Kraftgymnastik bzw. Gesundheitsgymnastik sind hier:

Ich bewege mich regelmäßig im Freien
Ich mache regelmäßig Ausdauersport und Kraftgymnastik

Ausdauersport. Ausdauersport hat einen wissenschaftlich nachgewiesenen positiven Einfluss auf die Gesundheit. Durch ein regelmäßiges Ausdauertraining ergeben sich folgende wertvolle Vorteile für unsere Gesundheit und für unseren Organismus: Das Herz-Kreislauf-System wird belastbarer. Der Blutdruck wird gesenkt. Der Stoffwechsel verbessert sich. Muskeln und Sehnen werden gekräftigt. Das Immunsystem wird gestärkt. Gesunder Schlaf wird gefördert. Die Merk- und Konzentrationsfähigkeit werden verbessert. Die Alltags- und Stressbewältigung werden gesteigert. Ausdauersport müssen wir jedoch gerne machen. Denn nur wenn wir etwas gerne und mit Freude machen, werden wir es regelmäßig tun. Das manchmal doch etwas langweilige bzw. stumpfsinnige Ausdauertraining wird mit dem autosuggestiven TopFitComm Resilienztraining kurzweiliger und wesentlich interessanter. Dieses Training macht Spaß!

Wird während des Ausdauersports das autosuggestive TopFitComm Resilienztraining durchgeführt, so ergeben sich, **ohne mehr Zeitaufwand**, folgende **zusätzlichen** Vorteile: Das Bewusstsein und Selbstbewusstsein werden gestärkt. Die Besinnung auf sich selbst wird sehr positiv unterstützt. Die eigenen Fähigkeiten und Stärken werden gefördert. Das Verhalten gegenüber sich selbst und gegenüber anderen wird optimiert. Die Merk- und Konzentrationsfähigkeit werden weiter verbessert. Die Alltags- und Stressbewältigung werden zusätzlich gesteigert. Die eigenen Lebenskompetenzen werden umfassend gefördert. Die physische **und** psychische Gesundheit wird verbessert.

Mit Ausdauersport können viele sogenannte »Volkskrankheiten« vermieden bzw. in Grenzen gehalten werden. Bei jedem Training werden sämtliche Funktionen Ihres Körpers auf Touren gebracht, mit folgenden positiven Wirkungen auf Ihren Organismus. **Herz**. Durch ein regelmäßiges Ausdauertraining wird Ihr Herz leistungsfähiger. Bei jedem Herzschlag kann mehr Blutvolumen in den Blutkreislauf gepumpt werden. **Blutdruck**. Ihr gestärktes Herz-Kreislauf-System wirkt sich wiederum günstig auf Ihren Blutdruck und Ihre Pulsfrequenz aus. **Blutdruckregulation**. Ihre Blutdruckregulation funktioniert besser, weil Ihre Gefäße durch die wiederholte Eng- und Weitstellung geschmeidig bleiben. **Lungenfunktion**. Durch eine verbesserte Lungenfunktion wird Ihr Blut mit mehr Sauerstoff versorgt. **Cholesterin- und Zuckerwerte**. Durch Ihr regelmäßiges Ausdauertraining werden Ihre Cholesterin- und Zuckerwerte günstig beeinflusst. **Muskel-Skelett-System**. Mit Ausdauersport können Sie Ihr Muskel-Skelett-System gezielt und nachhaltig kräftigen und stabilisieren. **Immunsystem**. Mit Ausdauersport können Sie auch Ihr Immunsystem fördern, da durch körperliche Bewegung gewissermaßen Reize gesetzt werden, welche die Abwehrzellen zu mehr Aktivität anregen.

Flow-Gefühl bzw. Hochgefühl. Das autosuggestive TopFitComm Resilienztraining, in Verbindung mit Ausdauersport erzeugt eine positive Grundstimmung. Spätestens im letzten Drittel Ihres Resilienztrainings werden Sie sich zunehmend wohler und glücklicher fühlen. Verantwortlich ist hierfür die vermehrte Ausschüttung von sogenannten »Glückshormonen«. Sie werden ein Flow-Gefühl bzw. ein Hochgefühl erleben, bei dem Ihr Denken und Fühlen übereinstimmt. Warum? Weil sich nicht nur Ihr Körper wohlfühlt, sondern auch Ihr Geist und Ihre Seele. Weil Ihr Körper, Ihr Geist und Ihre Seele spüren, dass dieses Resilienztraining ihnen gut tut.

Bewegung fürs Gehirn. Bei einer wissenschaftlichen Studie wurde eine große Gruppe sechzigjähriger in drei Gruppen unterteilt. Die erste Gruppe war eine Kontrollgruppe ohne sonderliche Aufgaben. Die zweite Gruppe absolvierte ein Jahr lang ein tägliches 30-minütiges Gedächtnistraining. Die dritte Gruppe musste ein Jahr lang täglich eine halbe Stunde stramm spazieren gehen. Nach einem Jahr wurde nachuntersucht. Bei welcher Gruppe hat die Gedächtnisleistung am meisten zugenommen? Bei der Kontrollgruppe stellte man nach einem Jahr eine um 4% verringerte Gedächtnisleistung fest. Die zweite Gruppe konnte ihre Gedächtnisleistung durch das tägliche Gedächtnistraining um 20% verbessern. Die dritte Gruppe, und das war die Überraschung, verbesserte die Gedächtnisleistung um 40%, obwohl eigentlich nur die Beine, und nicht speziell das Gehirn trainiert wurden. Prof. Hollmann fand heraus, dass durch Bewegung der Beine die Vernetzung der Hirnzellen signifikant zunahm.

Bei dem autosuggestiven TopFitComm Resilienztraining wird die Gedächtnisleistung direkt und regelmäßig trainiert. Deshalb ist davon auszugehen, dass mit einem täglichen 30-minütigen autosuggestiven Resilienztraining, in Verbindung mit Ausdauersport, dieses über-raschende und erfreuliche Untersuchungsergebnis mit Sicherheit noch weiter verbessert werden kann.

Sport schenkt Lebensjahre. Sportwissenschaftler der Universität Wien haben einen Mammutvergleich von 80 internationalen Studien mit insgesamt 1,3 Millionen Teilnehmern unternommen, um den lebensverlängernden Effekt von Bewegung nachzuweisen. Zwischen 4 und 40 Prozent sank das Risiko eines frühzeitigen Todes je nach Aktivität. Schlappe 4% brachte eine Stunde wöchentlicher Alltagsbewegung. 10% Risikominderung ergaben die von der WHO empfohlenen 150 Minuten moderate Bewegung pro Woche. Der positive Effekt verdoppelte sich auf 22%, wenn die Teilnehmer in den zweieinhalb Stunden ins schwitzen kamen. Durch fünf Stunden Sport pro Woche sank das Sterberisiko sogar um 39% gegenüber inaktiven Vergleichspersonen. Eine dänische Langzeitstudie errechnete ganz konkret, dass 120 bis 150 Minuten Ausdauersport pro Woche das Leben um ca. sechs Jahre verlängern kann.

Mit Ausdauersport die Widerstandskraft gegen Depression stärken. Sport hält gesund – nicht nur körperlich: Immer mehr Studien zeigen, dass regelmäßige Bewegung und Ausdauersport auch bei seelischen Problemen hilft. Bei manchen psychischen Krankheiten ist Sport sogar ähnlich wirksam wie eine Psychotherapie oder Medikamente. Eine niederländische

Untersuchung mit mehr als 7000 Probanden zeigte beispielsweise, dass schon eine Stunde Ausdauersport pro Woche das Risiko für Depressionen, Angststörungen oder Abhängigkeitserkrankungen senkt. Zudem berichtet die Forschergruppe, dass Probanden mit einer psychischen Erkrankung sich eher davon erholten, wenn sie regelmäßig Sport trieben. Psychologen nehmen an, dass Ausdauersport ein Gefühl von Kontrolle und Macht über sich selbst hervorrufen kann, wenn man den »inneren Schweinehund« überwindet. Die Betroffenen haben plötzlich wieder das Gefühl, durch Ihr Handeln etwas bewirken zu können. Bei Ausdauersport, in Verbindung mit dem autosuggestiven TopFitComm Resilienztraining, wird dieser positive Effekt mit hoher Wahrscheinlichkeit noch verstärkt.

Ausdauersport und Kraftgymnastik. Kraftgymnastik bzw. Gesundheitsgymnastik für Ausdauersport – was soll denn das? Klar, für Ausdauersport brauchen Sie keine »Sixpacks«, aber Sie brauchen Kraft. Nicht nur in den Beinen brauchen Sie Kraft. Kraftgymnastik bzw. Gesundheitsgymnastik verbessern Ihren Laufstil, stabilisiert unter anderem Ihren Rumpf und schützt Sie vor Verletzungen. Die Kombination von Ausdauersport und Kraftgymnastik bzw. Gesundheitsgymnastik ist ohne Einschränkung sinnvoll und empfehlenswert.

Achtsamkeit – Den Augenblick wahrnehmen

Bleiben Sie achtsam in der Gegenwart und genießen Sie den Augenblick

Was ist Achtsamkeit überhaupt? Achtsam kann als spezifischer, trainierbarer Bewusstseinszustand beschrieben werden, der auf das direkte und nicht wertende Gewahrsam dessen abzielt, was in jedem Augenblick geschieht. Wir können lernen, unsere Aufmerksamkeit zu lenken und uns auf Wahrnehmungen oder Gedanken zu konzentrieren, ohne diese sofort zu bewerten. In diesem Zustand sind wir achtsam. Achtsamkeit ist eine wichtige Funktion für alle höheren kognitiven Fähigkeiten wie Konzentration und Aufmerksamkeitslenkung. Achtsamkeitsmeditation ist eine gegenwärtig intensiv erforschte Trainingsmethode zur Kultivierung von Achtsamkeit, innerer Ruhe, Klarheit und Konzentration.

Prof. Dr. Jon Kabat-Zinn, der als Vater des modernen, medizinischen Achtsamkeitstrainings in der westlichen Kultur gilt, hat Achtsamkeit folgendermaßen beschrieben: Achtsamkeit ist eine alte buddhistische Praxis, die auch für das Leben in der heutigen Zeit noch von großer Bedeutung ist. Diese Praxis hat nichts mit Buddhismus an sich zu tun, und man braucht auch nicht Buddhist zu werden, um sich ihr zu widmen. Vielmehr geht es bei dieser Praxis darum, aufzuwachen und in Harmonie mit sich selbst und der Welt zu leben; zu erforschen, wer wir sind, unsere Sicht von der Welt und unsere Rolle darin zu hinterfragen und jeden Augenblick, in seiner Fülle schätzen zu lernen. Das wichtigste Ziel der Achtsamkeit ist, in Kontakt zu kommen mit sich selbst. Achtsamkeit ist eine einfache und gleichzeitig hochwirksame Methode, uns wieder in den Fluss des Lebens zu integrieren, uns wieder mit unserer Weisheit und Vitalität in Berührung zu bringen. Achtsamkeit erfordert Bemühung und Disziplin, weil die Kräfte, die unserer Achtsamkeit entgegenwirken - nämlich gewohnheitsmäßige Unaufmerksamkeit und unreflektierte Verhaltensmuster -, äußerst hartnäckig sind.

Von Prof. Dr. Jon Kabat-Zinn stammen auch die folgenden wichtigen Aussagen und Erläuterungen zur Achtsamkeit: Um unseren Weg zu finden, müssen wir lernen, dem gegenwärtigen Augenblick achtsamer zu begegnen. Er allein bietet uns die Möglichkeit zu leben, zu wachsen, zu fühlen und uns zu verändern. Achtsamkeit hat vor allem etwas mit Aufmerksamkeit und Gewahrsam zu tun, und das sind Qualitäten, die für alle Menschen wichtig und von Wert sind. Als achtsame Menschen sollen wir in der Gegenwart bleiben, denn die Gegenwart und der Augenblick sind die einzige Zeit, in der wir unser Leben wirklich wahrnehmen, gestalten und genießen können. Wir müssen uns der ungeheuren Zugkraft von Vergangenheit und Zukunft bewusster werden, damit wir nicht ihrer Macht, zu Lasten unseres realen Lebens verfallen. Achtsamkeit kann uns helfen, Gefühle wie Freude, inneren Frieden und Glück zu würdigen, die oft unbemerkt an uns vorüberziehen. Achtsamkeit wirkt auch stärkend, weil uns das Aufmerksam sein Zugang zu den Quellen der Kreativität, Intelligenz, Imagination, Klarheit, Entschlossenheit und Weisheit öffnet, die sich tief in unserem Innern befinden.

Bewertung Verhalten und Verbesserungspotenziale. Mit diesen Kriterien können Sie Ihre aktuellen Lebenskompetenzen hinsichtlich Ihrem Verhalten bewerten:

Ich beachte wichtige Verhaltensgrundsätze

Ich akzeptiere und achte andere wie mich selbst
Ich sehe die Fähigkeiten und Stärken der anderen
Ich löse mich von meinen Erwartungen
Ich beschuldige und beleidige andere nicht
Ich bin losgelöster, neutraler Beobachter
Ich brauche mich nicht zu verteidigen
Ich brauche mich nicht zu ärgern
Ich genieße den Augenblick

Bei dieser Bewertung geht es primär um das Bewertungskriterium

Ich genieße den Augenblick

Formelle und formlose Achtsamkeitsübungen. Achtsamkeit kann man mit formellen und mit formlosen Methoden üben. Das MBSR-Achtsamkeitstraining von Jon Kabat-Zinn ist eine bekannte formelle Übungsmethode. MBSR steht für **M**indfullness-**B**ased **S**tress **R**eduction. Mit der TopFitComm Gesundheitsmethode können auch formelle Achtsamkeitsübungen durchgeführt werden. Achtsam kommt von achten, aufmerken, überlegen und nachdenken. Achtsam heißt auch, dass wir in jedem Augenblick ganz gegenwärtig sind. Natürlich können wir nicht jeden Augenblick bewusst leben. Das wäre eine Überforderung. Aber es ist eine gute Übung achtsame Momente auf den ganzen Tag zu verteilen. Diese

Achtsamkeitsübungen stärken unseren Geist. Schon wenige achtsame Momente am Tag erhöhen die Lebensqualität, machen zufriedener im Privat- und Berufsleben und erhöhen die Widerstandskraft gegen Stress und Burnout. Die formellen Achtsamkeitsübungen mit der TopFitComm Gesundheitsmethode können ganz ohne Hilfsmittel, zu jeder Zeit, an jedem Ort und ohne zusätzlichen Zeitbedarf durchgeführt werden.

Achtsamkeit üben mit der TopFitComm® Gesundheitsmethode. Es ist hilfreich und wichtig, dass Sie einen Gegenwartsanker für Ihre Achtsamkeitsübungen haben, eine Ankerkette, die Sie mit dem gegenwärtigen Augenblick verbindet und die Sie zurück geleitet, wenn Ihr Geist abschweift. Das autosuggestive TopFitComm Resilienztraining erfüllt diesen Zweck ausgesprochen gut. Das lautlose oder leise Sprechen der einzelnen Sequenzen des autosuggestiven TopFitComm Resilienztrainings, in Verbindung mit dem bewussten Ein- und Ausatmen, hält Sie in der Gegenwart oder bringt Sie wieder in die Gegenwart zurück, wenn Ihr Geist doch einmal abschweifen sollte. Konzentration ist einer der Grundpfeiler der Achtsamkeitspraxis. Ihre Achtsamkeit wird immer nur so stark sein wie die Fähigkeit Ihres Geistes ruhig und gesammelt zu sein. Mit dem autosuggestiven TopFitComm Resilienztraining können Sie einzigartig Ihre Achtsamkeit und Konzentration zusammen entwickeln.

Wiederholungen fördern in besonderer Weise Ihre Achtsamkeit und Konzentration. Mit dem Wiederholen von Sequenzteilen und von ganzen Sequenzen Ihres autosuggestiven TopFitComm Resilienztrainings können Sie Ihre Achtsamkeit und Konzentration zusammen, gleichzeitig und systematisch verbessern.

Achtsamkeitsübung mit Bewegung. Die Basis für Ihre formelle Achtsamkeitsübung beim normalen Gehen und während Ihres Ausdauersports ist das autosuggestive TopFitComm Resilienztraining. Während einer langen oder einer verkürzten Trainingseinheit sprechen Sie die einzelnen Sequenzen des autosuggestiven TopFitComm Resilienztrainings im beschriebenen oder einem von Ihnen gewählten Sprechrhythmus und beachten Sie die Sprechpausen. Wichtig ist, und das ist der Kern dieser Achtsamkeitsübung, das lautlose oder leise Sprechen der einzelnen Bewusstseins- und Verhaltensregeln. Dabei ist folgendes wichtig:

Atmung. Konzentrieren Sie sich auf Ihren Atem. Achten Sie genau darauf, wie der Atem beim Ausdauertraining oder beim Gehen ein- und ausströmt.
Sprechen. Sprechen Sie lautlos oder leise ganz bewusst und achtsam die einzelnen Sequenzen des autosuggestiven TopFitComm Resilienztrainings. Spüren Sie Ihren Sprechrhythmus. Verfolgen Sie achtsam das Zusammenwirken von Sprechen und Ein- und Ausatmung.
Bewegung. Verfolgen Sie achtsam die Bewegung Ihrer Beine und Arme. Spüren Sie, wie Sie mit den Füßen auftreten.
Umwelt. Registrieren Sie, vor allem in den Sprechpausen achtsam, was um Sie herum geschieht. Die Wolken, den Wind, die Felder und Wiesen, das Vogelgezwitscher usw.

Achtsamkeitsübung im Sitzen oder Liegen. Auch für Ihre formelle Achtsamkeitsübung im Sitzen oder Liegen ist das autosuggestive TopFitComm Resilienztraining die Basis. Setzen oder legen Sie sich bequem hin. Vergewissern Sie sich, dass Sie locker sitzen oder liegen und nicht verspannt sind. Beginnen Sie nach einigen Minuten mit Ihrem autosuggestiven TopFitComm Resilienztraining. Dabei beachten Sie bitte folgendes.
Sprechrhythmus. Sprechen Sie lautlos oder leise ganz bewusst und achtsam die einzelnen Sequenzen des autosuggestiven TopFitComm Resilienztrainings. Spüren Sie Ihren Sprechrhythmus.
Atmung. Richten Sie Ihre Aufmerksamkeit auf Ihren Atem. Spüren Sie, wie beim Einatmen die Luft in Ihren Körper hineinströmt, Ihre Bauchdecke sich hebt und der Atem sich in Ihrem Körper ausdehnt. Legen Sie beide Hände mit der Handinnenfläche auf Ihren Bauch. Spüren Sie nach, wie sich Ihre Bauchdecke beim Einatmen hebt und beim Ausatmen wieder senkt.
Sprechen. Verfolgen Sie achtsam das Zusammenwirken von Sprechen und Ein- und Ausatmung.

Formlose Achtsamkeitsübungen und Achtsamkeit im Alltag. Die Achtsamkeit formlos im Alltag zu üben ist eigentlich nicht schwierig. Sie können fast alle täglichen Aktivitäten nutzen, um während des Tages immer wieder für kurze Zeit Ihre Achtsamkeit zu üben. Hierdurch vertieft sich die Fähigkeit achtsamer durch das Leben zu gehen. **Bewusst duschen**. Beschäftigen Sie sich unter der Dusche nicht schon mit Ihrer Tagesplanung sondern nutzen Sie lieber Ihre Sinne und achten Sie auf jedes winzige Detail.

Beobachten Sie, wie das Wasser auf Ihrer Haut abperlt. Wie fühlt sich der Wasserhahn an? Wie fühlt sich das Duschgel an? usw. **Zähneputzen**. Erleben Sie das Zähneputzen bewusst. Was fühlen Sie beim Zähneputzen? Wie empfinden Sie die Zahnpasta? **Autofahren**. Schauen Sie beim Einsteigen Ihren Fahrersitz an und prüfen Sie, ob Sie auf dem Sitz ohne Verspannungen das Lenkrad und die Instrumente bedienen können. Atmen Sie tief ein und fahren los. **Essen**. Beim Essen konzentrieren Sie sich darauf, das Essen zu sehen, zu riechen, zu schmecken, es ganz bewusst zu kauen und hinunterzuschlucken. **Arbeit**. Schauen Sie sich Ihren Arbeitsplatz genau an. Welche Gegenstände erkennen Sie und wie sind diese angeordnet? Nehmen Sie sich während Ihrer Arbeit immer wieder vor, Ihre Achtsamkeit zu üben.

Achtsamkeitsübung mit dem autosuggestiven TopFitComm® Resilienztraining. Die Übung der Achtsamkeit mit dem autosuggestiven TopFitComm Resilienztraining hat viele Vorteile und vielfältige positive Auswirkungen auf die psychische und physische Gesundheit und Fitness. **Stress**. Die Fähigkeit mit stressauslösenden Situationen und Aktivitäten gut umgehen zu können wird gesteigert. **Zusammenarbeit**. Die Fähigkeit nach intensiver Zusammenarbeit mit anderen Personen und nach anstrengender Arbeit sich zu erholen wird verbessert. **Persönlichkeitsentwicklung**. Das Selbstvertrauen und das Selbstwertgefühl werden gestärkt und die Persönlichkeitsentwicklung gefördert. **Gegenwartsanker**. Die Fähigkeit schneller in die Gegenwart zurück zu kehren wirkt entlastend und positiv auf die psychische Verfassung. Der Blick für die Schönheit des Lebens wird geschärft. Die Lebensfreude, Vitalität und Lebenszufriedenheit wird gesteigert.

Entspannung – Im Alltag Ruhe finden

Ihr Weg zu mehr Ruhe, Gelassenheit und Besinnung. So schöpfen Sie immer wieder neue Kraft

Was in unserer lauten und hektischen Zeit, mit einer Unmenge an Informationen und vielfältigen Eindrücken besonders fehlt, sind Ruhe und Stille. Entspannung verspricht, wonach sich viele Menschen sehnen: innere Ruhe und mehr Gelassenheit. Weise Menschen aus allen möglichen Ländern und Kulturen kennen seit Tausenden von Jahre Entspannungsmethoden, um unseren Geist zur Ruhe zu bringen. Mit Entspannung gewinnen wir Distanz zu unserem Alltagsleben und können Sorgen und Ängste loslassen. Endlich Ruhe. Entspannter Frieden innen drin. Das Getöse an Gedanken und Grübeleien über Schwierigkeiten von gestern und Sorgen von morgen, das ununterbrochen im Geist rumort, verstummt plötzlich. Eine erfrischende Leere macht sich breit. Zufriedenheit im Hier und Jetzt. Durch Stress, Sorgen und ewig kreisenden Gedanken verspannen wir uns, sind innerlich unfrei und schnell gereizt. Mit Entspannung verbessern wir unsere Widerstandskraft gegen solchen Stressoren. Wir kommen zur Ruhe und werden gelassener.

Stress ist eine natürliche Reaktion unseres Körpers und war schon zu Zeiten unserer Vorfahren überlebenswichtig. Geraten wir in brenzliche Situationen, schüttet unser Körper Stresshormone wie Adrenalin, Dopamin und Cortisol aus. Diese Stoffe setzen Energiereserven frei, um uns auf eine Flucht oder einen Kampf vorzubereiten. Welche Stresssituationen haben wir heute? Das Notfallprogramm »Stress« passt jedoch nicht mehr zu heutigen Notfällen wie Zeitdruck, Verpflichtungen, Probleme und Konflikte mit anderen Personen, Geldsorgen und Arbeitsüberlastung. Für die heutigen Probleme braucht man weniger Muskeln und viel Kopf. In der richtigen Dosierung ist Stress ungefährlich: Er macht wach und schnell. Schon der Urmensch hatte Stress. Diesen konnte er ganz natürlich über Bewegung bewältigen und abbauen. Im Gegensatz zu früher bleibt dabei jedoch meist die notwendige körperliche Bewegung aus, die normalerweise dafür sorgt, dass die ausgeschütteten Stresshormone rasch wieder abgebaut werden.

Entspannungstechniken. Mit folgenden Entspannungstechniken kann Stress und können Stresshormone abgebaut werden: **Autogenes Training**. Mit Autogenen Training nutzen Sie die Kraft Ihrer Gedanken für mehr Ruhe und Entspannung. **Progressive Muskelentspannung**. Durch einen Wechsel zwischen An- und Entspannung bestimmter Muskelgruppen lernen Sie, Stress abzubauen, neue Energie zu tanken und Verspannungen zu lösen. **Meditation**. Es gibt viele Formen der Meditation. Nicht jede Meditationsübung ist für jeden geeignet. Probieren Sie am besten aus, womit Sie sich am wohlsten fühlen. **Qigong und Tai-Chi**. Qigong und Tai-Chi sind meditative Bewegungsformen. Sie entstammen der traditionellen chinesischen Medizin und verbinden Übungen zur entspannten Konzentration mit Körper- und Atemübungen. **Yoga**. Yoga ist ein Teil der traditionellen indischen Heilkunde, dem Ayurveda. Yoga wird in unterschiedlichen Formen gelehrt. **TopFitComm® Gesundheitsmethode**. Wie können Sie sich mit der TopFitComm Gesundheitsmethode entspannen? Das werde ich Ihnen jetzt beschreiben und erläutern.

Bewertung Verhalten und Verbesserungspotenziale. Mit diesen Kriterien können Sie Ihre aktuellen Lebenskompetenzen hinsichtlich Ihrem Verhalten bewerten:

Ich beachte wichtige Verhaltenskräfte

Die Kraft der Toleranz
Die Kraft der Verarbeitung
Die Kraft, Probleme anzunehmen
Die Kraft, zusammenzuarbeiten
Die Kraft zu unterscheiden
Die Kraft des Lachens
Die Kraft, einen Schlusspunkt zu setzen
Die Kraft, in die Stille zu gehen

Im Zusammenhang mit der Entspannung geht es hier primär um die Verhaltenskraft

Die Kraft, in die Stille zu gehen

Entspannung mit dem autosuggestiven TopFitComm® Resilienztraining. Die folgenden allgemeinen und praktischen Hinweise für die Entspannung mit dem autosuggestiven TopFitComm Resilienztraining sollten Sie beachten.

Regelmäßigkeit. Regelmäßig üben nach dem Motto »Übung macht den Meister« ist das wichtigste. Machen Sie drei- bis viermal pro Woche Entspannungsübungen.

Ungestört und ruhig. Der Raum oder Platz für Ihre Entspannungsübung sollte eine ungestörte und ruhige Übung ermöglichen.

Sitzen. Im Sitzen ist es einfach, eine entspannte und gleichzeitig aufrechte Haltung einzunehmen. Wirbelsäule und Hals aufrecht halten, aber nicht angespannt.

Gedanken. Schweifen die Gedanken ab, ist das normal. Lassen Sie abschweifende Gedanken ruhig und gelassen vorüberziehen, wie Wolken am Himmel.

Locker bleiben. Wenn Sie locker bleiben wird Ihre Entspannungsübung mit Sicherheit zu einer guten Gewohnheit, auf die Sie nicht mehr verzichten wollen.

Nach der Übung. Nach der Entspannungsübung ist es wichtig, sich wieder aktiv auf den Alltag einzustellen. Öffnen Sie langsam die Augen, atmen Sie tief durch, recken und strecken Sie sich. Erst dann stehen Sie langsam auf.

Entspannung mit Ausdauersport. Ausdauertraining, in Verbindung mit dem autosuggestiven TopFitComm Resilienztraining, eignet sich optimal als Ventil, um Stress und Stresshormone abzubauen und sich zu entspannen. Von dieser Entspannungsmethode profitieren vor allem Personen, die im Beruf überwiegend geistig gefordert sind und wenig Bewegung haben. Wer den ganzen Tag sitzt und viel Alltagsstress zu verarbeiten hat, kann mit Ausdauersport, in Verbindung mit dem autosuggestiven TopFitComm Resilienztraining, schnell und effektiv Spannungen abbauen.

Entspannung im Sitzen. Sitzen ist eine bequeme Position, in der wir unsere Füße entlasten. Doch wenn es um Entspannung geht, ist Sitzen etwas ganz Besonderes. Bei der Entspannung im Sitzen geht es nicht in erster Linie darum, eine bestimmte Körperhaltung einzunehmen, so wichtig diese auch sein mag. Das wichtigste ist, eine bequeme, angenehme und feste Stellung einzunehmen.

Übungsdauer mit dem TopFitComm Resilienztraining. Für Ihre Entspannungsübung können Sie die Sequenzen 1 bis 6 des autosuggestiven TopFitComm Resilienztrainings verwenden. Die Übungsdauer beträgt hier

ca. 25 Minuten. Wenn Sie alle Sequenzen wiederholen kommen Sie auf eine Übungsdauer von ca. 50 Minuten.
Atem. Beginnen und beenden Sie Ihre Entspannungsübung mit zum Beispiel 15 Atemzügen, ohne zu sprechen. Zählen Sie Ihre Atemzüge ganz bewusst. Folgen Sie der Empfindung Ihres Atems, wie er in Ihren Körper einströmt und wieder aus ihm heraus strömt. Spüren Sie die Bewegung Ihres Brustkorbs und Ihrer Bauchdecke.
Sprechen und Sprechpausen. Sprechen Sie lautlos oder leise die Sequenzen des autosuggestiven TopFitComm Resilienztrainings, in dem von Ihnen gewählten Rhythmus. Zwischen den einzelnen Sequenzen machen Sie wieder 15 Atemzüge, ohne zu sprechen. Zählen Sie auch hier Ihre Atemzüge ganz bewusst.

Entspannung im Liegen. Im Liegen zu entspannen ist eine wunderbare Möglichkeit, wenn Sie es schaffen, dabei nicht einzuschlafen. Wenn Ihr Körper liegt, ist es für Sie wesentlich leichter als in irgendeiner anderen Haltung, ihn völlig zu entspannen und loszulassen. Legen Sie sich ganz flach auf den Rücken, die Arme liegen seitlich neben dem Körper.
Übungsdauer mit dem TopFitComm Resilienztraining. Für Ihre Entspannungsübung können Sie auch hier die Sequenzen 1 bis 6 des autosuggestiven TopFitComm Resilienztrainings verwenden. Die Übungsdauer beträgt auch hier ca. 25 Minuten. Wenn Sie alle Sequenzen wiederholen kommen Sie auf eine Übungsdauer von ca. 50 Minuten.
Atem. Beginnen und beenden Sie Ihre Entspannungsübung mit zum Beispiel 15 Atemzügen, ohne zu sprechen. Zählen Sie Ihre Atemzüge ganz bewusst. Folgen Sie der Empfindung Ihres Atems, wie er in Ihren Körper einströmt und wieder aus ihm heraus strömt. Spüren Sie die Bewegung Ihres Brustkorbs und Ihrer Bauchdecke.
Sprechen und Sprechpausen. Sprechen Sie lautlos oder leise die Sequenzen des autosuggestiven TopFitComm Resilienztrainings, in dem von Ihnen gewählten Rhythmus. Zwischen den einzelnen Sequenzen machen Sie wieder 15 Atemzüge, ohne zu sprechen. Zählen Sie auch hier Ihre Atemzüge ganz bewusst.

Entspannen im Gehen. Manche Menschen empfinden es als schwierig, sitzend zu entspannen, sind jedoch in der Lage, sich im Gehen sehr tief in die Entspannungsübung zu versenken. Die Entspannung im Gehen ist eine

der besten Entspannungsformen überhaupt. Gehentspannung kann man in jedem beliebigen Tempo praktizieren.
Übungsdauer mit dem TopFitComm Resilienztraining. Für Ihre Entspannungsübung können Sie, wie bei der Entspannung im Sitzen und Liegen, die Sequenzen 1 bis 6 des autosuggestiven TopFitComm Resilienztrainings verwenden. Die Übungsdauer beträgt auch hier ca. 25 Minuten. Wenn Sie alle Sequenzen wiederholen kommen Sie auf eine Übungsdauer von ca. 50 Minuten.
Atem. Beginnen und beenden Sie Ihre Entspannungsübung mit zum Beispiel 15 Atemzügen, ohne zu sprechen. Zählen Sie Ihre Atemzüge ganz bewusst. Folgen Sie der Empfindung Ihres Atems, wie er in Ihren Körper einströmt und wieder aus ihm heraus strömt.
Sprechen und Sprechpausen. Sprechen Sie lautlos oder leise die Sequenzen des autosuggestiven TopFitComm Resilienztrainings, in dem von Ihnen gewählten Rhythmus. Zwischen den einzelnen Sequenzen machen Sie wieder 15 Atemzüge, ohne zu sprechen. Zählen Sie auch hier Ihre Atemzüge ganz bewusst.

Kurzentspannung. Mit einer Kurzentspannung während des Tages können Sie immer wieder einmal innehalten, zur Ruhe kommen und neue Kraft schöpfen. Diese Kurzentspannung können Sie im Sitzen, Liegen oder Gehen durchführen. So eine Kurzentspannung ist auch eine wunderbare Einschlafhilfe.
Übungsdauer mit dem TopFitComm Resilienztraining. Für Ihre Entspannungsübung können Sie die Sequenzen 1 bis 4 oder 5 und 6 des autosuggestiven TopFitComm Resilienztrainings verwenden. Die Übungsdauer beträgt in beiden Fällen ca. 15 Minuten. Als Einschlafhilfe sind die Sequenzen 1 bis 4 sehr gut geeignet.
Atem. Beginnen und beenden Sie Ihre Entspannungsübung mit zum Beispiel 10 Atemzügen, ohne zu sprechen. Zählen Sie Ihre Atemzüge ganz bewusst. Folgen Sie der Empfindung Ihres Atems, wie er in Ihren Körper einströmt und wieder aus ihm heraus strömt.
Sprechen und Sprechpausen. Sprechen Sie lautlos oder leise die von Ihnen gewählten Sequenzen des autosuggestiven TopFitComm Resilienztrainings. Zwischen den einzelnen Sequenzen machen Sie wieder 10 Atemzüge, ohne zu sprechen. Zählen Sie auch hier Ihre Atemzüge ganz bewusst.

Blitzentspannung. Verspüren Sie während des Tages Stress und haben aber keine Zeit für eine Kurzentspannung, dann können Sie sich mit einer Blitzentspannung wieder regenerieren Diese Blitzentspannung lässt sich überall in die alltäglichen Routinen einbauen – egal, ob bei der Hausarbeit, im Auto, im Zug oder am Arbeitsplatz.
Übungsdauer mit dem TopFitComm Resilienztraining. Für Ihre Entspannungsübung können Sie einzelne Sequenzen des autosuggestiven TopFitComm Resilienztrainings verwenden. Die einzelnen Bewusstseins- oder Verhaltensregeln wiederholen Sie als Kurzformel. Wenn Sie sich mehrmals täglich 2 bis 3 Minuten Zeit nehmen für eine Blitzentspannung werden Sie schnell die positive Wirkung dieser Blitzentspannung erkennen.
Atem. Beginnen und beenden Sie Ihre Entspannungsübung mit zum Beispiel 5 Atemzügen, ohne zu sprechen. Zählen Sie Ihre Atemzüge ganz bewusst. Folgen Sie der Empfindung Ihres Atems, wie er in Ihren Körper einströmt und wieder aus ihm heraus strömt.
Sprechen und Sprechpausen. Sprechen Sie lautlos oder leise die von Ihnen gewählten Bewusstseins- oder Verhaltensregeln des autosuggestiven TopFitComm Resilienztrainings als Kurzformel. Verspüren Sie ganz bewusst das Zusammenwirken von Sprechen und Atmung.

Gesunde Ernährung

So können Sie eine gesunde Ernährung in Ihrem Alltag umsetzen

Die moderne Ernährungsforschung beweist: Essen hält Leib und Seele zusammen. Denn wer sich ausgewogen ernährt, fördert nicht nur sein Wohlbefinden. Eine gesunde und vollwertige Kost kann auch dazu beitragen, die Gesundheit zu erhalten und Krankheiten vorzubeugen. **Ernährungsgewohnheiten: Was wir essen**. Die gute Nachricht vorweg: die Deutschen essen immer gesünder. Diesen positiven Trend belegen ernährungswissenschaftliche Studien. Trotzdem – und das ist die weiterhin schlechte Nachricht – essen wir weiterhin zu viel Fleisch, zu viel Fettiges und viel zu viel Süßes.

Essen – die Kombination mit Bewegung ist wichtig. Gesund, ausgewogen, vielfältig – gute Ernährung ist lebensnotwendig. Doch richtig essen allein hält nicht gesund. Wer etwas für seine Gesundheit und Fitness tun möchte, braucht auch Bewegung. Ernährung und Bewegung ergänzen sich optimal. Körperliche Aktivität baut Stress ab, bringt das Herz-Kreislauf-System in Schwung und stärkt das Immunsystem. Ausdauersport, in Verbindung mit dem autosuggestiven TopFitComm Resilienztraining und gesunde Ernährung ergänzen sich hervorragend. Mit dieser Kombination können Sie eine gesundheitsfördernde Lebenseinstellung und Lebensweise entwickeln und vielen sogenannten Volkskrankheiten vorbeugen.

Was ist gesunde Ernährung? Die Frage, was eine gesunde Ernährung ist, können selbst Wissenschaftlerinnen und Wissenschaftler noch nicht ausreichend beantworten. Die Wege, die die Nährstoffe im menschlichen Körper nehmen, sind hoch komplex und trotz umfangreicher Forschungen bis heute nicht vollständig verstanden. Denn: Jeder Mensch i(s)st anders! Heutige Ernährungsempfehlungen decken in der Regel die Bedürfnisse einer breit gefächerten Gruppe von Menschen ab. Zum Beispiel Erwachsene, Kinder oder Senioren. Der individuelle Bedarf eines Menschen lässt sich aus ihnen allerdings nicht ablesen. Die personalisierte Ernährung könnte diese Lücke eines Tages schließen. Sie berücksichtigt nicht nur Faktoren wie Alter, Körpergröße oder Lebensweise. Sie schließt auch genetische Variationen ein und ist damit individuell. Die personalisierte Ernährung berücksichtigt damit die Besonderheit bzw. das Phänomen, dass menschliche Stoffwechselprozesse zwar ähnlich. Aber nicht notwendigerweise identisch sind.

Bewertung Bewusstsein und Verbesserungspotenziale. Mit diesen Kriterien können Sie Ihre aktuellen Lebenskompetenzen hinsichtlich Ihrem Bewusstsein bewerten:

Ich bin ein einzigartiger Mensch mit einem wertvollen Körper

Ich bin dankbar für meine Einzigartigkeit
Ich nutze meine Fähigkeiten und Stärken um mich weiterzuentwickeln
Ich setze meine Fähigkeiten und Stärken bei Ehrenämtern ein
Ich behandle meinen Körper gut und rauche nicht
Ich bewege mich regelmäßig im Freien
Ich mache regelmäßig Ausdauersport und Kraftgymnastik
Ich ernähre mich gesund und vollwertig
Ich vermeide Trunkenheit und Völlerei

Die relevanten Bewertungskriterien für die Ernährung und für eine gesunde Lebensweise sind hier:

Ich behandle meinen Körper gut und rauche nicht
Ich ernähre mich gesund und vollwertig
Ich vermeide Trunkenheit und Völlerei

Unsere Lebensmittel bestehen aus drei energieliefernde Nährstoffe, die unseren Grundumsatz und Aktivitätsumsatz ausgleichen sollen.
Kohlenhydrate. Kohlenhydrate sind unser erster Energielieferant und sollten daher den Großteil unserer täglichen Nahrung ausmachen. Etwa dreiviertel unserer Nahrung sollte aus kohlenhydratreichen, pflanzlichen Lebensmitteln stammen.
Eiweiß: Eiweiß ist unser Baustoff für die Zellen und wird in pflanzlichen (aus Hülsenfrüchten, Sojaprodukte) und tierisches (Milchprodukte, Fleisch) unterteilt. Für eine gesunde Ernährung sollten vorrangig pflanzliche Eiweißträger konsumiert werden.
Fett. Fett kommt in versteckter und sichtbarer Form hauptsächlich in tierischen Produkten vor. Die Auswahl der Fette sollte sich auch bei diesem Nährstoff hauptsächlich auf die pflanzlichen Fette und Ölen beschränken. Zuviel tierische Fette belasten den Stoffwechsel. Vor allem verarbeitete Fleischprodukte wie Wurst und Würstchen enthalten sehr viel Fett. Wer auf seine Ernährung achtet, braucht in der Regel keine Diät. Bewusstes Essen gepaart mit Bewegung und sportlichen Aktivitäten hält fit und macht Spaß.

Unsere Lebensmittel bestehen, wie bereits erwähnt, aus drei Hauptnährstoffen, die uns die Energie in Form von Kilokalorien zur Verfügung stellen. Einheit der Energie: kcal = Kilokalorie. **Grundumsatz**. Bei der Kalorienzufuhr unterscheidet man nach Grundumsatz und Aktivitätsumsatz. Der Grundumsatz ist die Menge der Energie, die wir täglich mindestens aufnehmen müssen, um alle grundlegenden Vorgänge im Körper zu gewährleisten. **Aktivitätsumsatz**. Jede zusätzliche Aktivität und Bewegung sollte mit zusätzlicher Kalorienaufnahme ausgeglichen werden.

Kalorienaufnahme < Kalorienverbrauch => Gewichtsreduktion
Kalorienaufnahme > Kalorienverbrauch => Gewichtszunahme
Kalorienaufnahme = Kalorienverbrauch => Gewicht bleibt konstant

Einflussfaktoren auf unseren Energiebedarf. Unser Energiebedarf ist individuell teilweise sehr unterschiedlich und wird von verschiedenen Faktoren beeinflusst. **Körperliche Aktivität**. Körperliche Aktivitäten in Verbindung mit unserem Beruf, durch sportliche Betätigung oder Alltagsbewegungen erhöhen unseren Energiebedarf. **Körpergröße und Körpergewicht**. Die Körpergröße und das Körpergewicht beeinflussen auch unseren Energiebedarf. **Body-Mass-Index**. Der Body-Mass-Index (BMI) ist eine Maßzahl für die Bewertung des Körpergewichts eines Menschen in Relation zu seiner Körpergröße. Der BMI ist lediglich ein grober Richtwert, da er weder Statur und Geschlecht noch die individuelle Zusammensetzung der Körpermasse aus Fett- und Muskelgewebe eines Menschen berücksichtigt.

Vollwertig essen hält gesund, fördert Leistung und Wohlbefinden und unterstützt einen nachhaltigen Ernährungsstil. Die Deutsche Gesellschaft für Ernährung (DGE) hat auf der Basis aktueller wissenschaftlicher Erkenntnisse 10 Regeln formuliert, die Ihnen helfen, genussvoll und gesund erhaltend zu essen. Nur wenn Sie das Richtige essen, ist Ihre Nahrung Lebenskraft für Ihren Körper und Geist. **Ganz wichtig!** Veränderungen der Essgewohnheiten brauchen Zeit: Wer von heute auf morgen alles über den Haufen werfen will, kann damit fast nur scheitern. Ernährungsbedingte Leiden verursachen nach Schätzungen des Bundesgesundheitsministeriums ein Drittel aller Kosten im Gesundheitswesen. Zahlreiche Erkrankungen und sogenannte Volkskrankheiten sind direkt oder indirekt mit der Ernährung verbunden.

Vollwertig essen und trinken nach den 10 Regeln der DGE:

1. Die Lebensmittelvielfalt genießen

Vollwertiges Essen und Trinken beinhaltet eine abwechslungsreiche Auswahl, angemessene Menge und Kombination nährstoffreicher und energiearmer Lebensmittel. Wählen Sie überwiegend pflanzliche Lebensmittel. Diese haben eine gesundheitsfördernde Wirkung und unterstützen eine nachhaltige Ernährungsweise.

2. Reichlich Getreideprodukte sowie Kartoffeln

Brot, Getreideflocken, Nudeln, Reis, am besten aus Vollkorn, sowie Kartoffeln enthalten reichlich Vitamine, Mineralstoffe sowie Ballaststoffe und sekundäre Pflanzenstoffe. Verzehren Sie diese Lebensmittel mit möglichst fettarmen Zutaten. Mindestens 30 Gramm Ballaststoffe, vor allem aus Vollkornprodukten, sollten es täglich sein. Eine hohe Zufuhr senkt die Risiken für verschiedene ernährungsbedingten Krankheiten.

3. Gemüse und Obst – Nimm „5 am Tag"

Genießen Sie 5 Portionen Gemüse und Obst am Tag, möglichst frisch, nur kurz gegart, oder gelegentlich auch als Saft oder Smoothie – zu jeder Hauptmahlzeit und auch als Zwischenmahlzeit: Damit werden Sie reichlich mit Vitaminen, Mineralstoffen sowie Ballaststoffen und sekundären Pflanzenstoffen versorgt und verringern das Risiko für ernährungsbedingten Krankheiten. Bevorzugen Sie saisonale Produkte.

4. Täglich Milchprodukte, regelmäßig Fisch, wenig Wurst

Diese Lebensmittel enthalten wertvolle Nährstoffe, wie z. B. Calcium in Milch, Jod, Selen und Omega-3 Fettsäuren in Seefisch. Entscheiden Sie sich bei Fisch für Produkte mit anerkannt nachhaltiger Herkunft. Im Rahmen einer vollwertigen Ernährung sollten Sie nicht mehr als 300 bis 600 g Fleisch und Wurst pro Woche essen. Fleisch ist Lieferant von Mineralstoffen und Vitaminen (B_1, B_6 und B_{12}). Weißes Fleisch (Geflügel) ist unter gesundheitlichen Gesichtspunkten günstiger zu bewerten als rotes Fleisch (Rind, Schwein). Bevorzugen Sie fettarme Produkte, vor allem bei Fleischerzeugnissen und Milchprodukten.

5. Wenig Fett und fettreiche Lebensmittel

Fett liefert lebensnotwendige Fettsäuren und fetthaltige Lebensmittel enthalten auch fettlösliche Vitamine. Da es besonders energiereich ist, kann die gesteigerte Zufuhr von Nahrungsfetten die Entstehung von Übergewicht fördern. Zu viele gesättigte Fettsäuren erhöhen das Risiko für Fettstoffwechselstörungen, mit der möglichen Folge von Herz-Kreislauf-Erkrankungen. Bevorzugen Sie pflanzliche Öle und Fette (z. B. Raps- und Sojaöl und daraus hergestellte Streichfette). Achten Sie auf unsichtbares Fett, das in Fleischerzeugnissen, Milchprodukten, Gebäck und Süßwaren sowie in Fast-Food und Fertigprodukten meist enthalten ist. Insgesamt 60 bis 80 Gramm Fett pro Tag reichen aus.

6. Zucker und Salz in Maßen

Verzehren Sie Zucker und Lebensmittel bzw. Getränke, die mit verschiedenen Zuckerarten (z. B. Glucosesirup) hergestellt wurden, nur gelegentlich. Würzen Sie kreativ mit Kräutern und Gewürzen und wenig Salz. Wenn Sie Salz verwenden, dann angereichert mit Jod und Fluorid.

7. Reichlich Flüssigkeit

Wasser ist absolut lebensnotwendig. Trinken Sie rund 1,5 Liter Flüssigkeit jeden Tag. Bevorzugen Sie Wasser – ohne oder mit Kohlensäure – und energiearme Getränke. Trinken Sie zuckergesüßte Getränke nur selten. Diese sind energiereich und könnten bei gesteigerter Zufuhr die Entstehung von Übergewicht fördern. Alkoholische Getränke sollten wegen der damit verbundenen gesundheitlichen Risiken nur gelegentlich und nur in kleinen Mengen konsumiert werden.

8. Schonend zubereiten

Garen Sie die Lebensmittel bei möglichst niedrigen Temperaturen, soweit es geht kurz, mit wenig Wasser und wenig Fett – das erhält den natürlichen Geschmack, schont die Nährstoffe und verhindert die Bildung schädlicher Verbindungen. Verwenden Sie möglichst frische Zutaten. So reduzieren Sie überflüssige Verpackungsabfälle.

9. Sich Zeit nehmen und genießen

Gönnen Sie sich eine Pause für Ihre Mahlzeiten und essen Sie nicht nebenbei. Lassen Sie sich Zeit, das fördert Ihr Sättigungsempfinden.

10. Auf das Gewicht achten und in Bewegung bleiben

Vollwertige Ernährung, viel körperliche Bewegung und Ausdauersport, drei- bis viermal die Woche, mindesten eine halbe Stunde, gehören zusammen und helfen Ihnen dabei, Ihr Gewicht zu regulieren und beugt vielen Krankheiten vor. Gehen Sie zum Beispiel öfter einmal zu Fuß oder fahren Sie mit dem Fahrrad. Das schont auch die Umwelt und fördert Ihre Gesundheit.

Individuelle Gesundheitsförderung

Gesundheitsfördernde Lebenskompetenzen entwickeln und sogenannte Volkskrankheiten vermeiden

Gesundheitsförderung umfasst Maßnahmen und Aktivitäten, mit denen die Gesundheitsressourcen und Gesundheitspotenziale der Menschen erkannt und gestärkt werden können.

Lebenseinstellung und Lebensweise. Eine bewusste Lebensweise ist eine gute Voraussetzung, um bis ins hohe Alter gesund und fit zu bleiben. Dazu gehört neben einer gesunden Ernährung und ausreichender Bewegung auch eine optimistische und gesundheitsfördernde Lebenseinstellung. Mit einer bewussten Lebensweise und einer optimistischen Lebenseinstellung können die physische und psychische Gesundheit und Fitness sehr wirksam gefördert werden.

Persönlichkeit. Gesundheitsförderung unterstützt die Entwicklung von Persönlichkeit und sozialen Fähigkeiten. Sie will den Menschen helfen, mehr Einfluss auf ihre Gesundheit und Fitness auszuüben.

Lebenskompetenzen. Ziel einer jeden Gesundheitsförderung ist die Entwicklung von Lebenskompetenzen für die altersspezifischen Herausforderungen des täglichen Alltags.

Regelmäßige Bewegung und Ausdauersport. Regelmäßige Bewegung und Ausdauersport sind wichtige Komponenten der Gesundheitsförderung.

Volkskrankheiten. Volkskrankheiten sind Krankheiten, von denen ein großer Anteil der Bevölkerung betroffen ist. Häufig sind sie auf eine gesundheitsschädliche Lebensweise mit Bewegungsmangel, Überernährung und Stress zurückzuführen. Die Bedeutung von Volkskrankheiten für die jeweiligen Gesundheitssysteme sind immens. Die häufigsten Krankheiten in der westlichen Welt sind:

Bluthochdruck. Die Ursachen sind häufig Bewegungsmangel, Stress, Übergewicht, Rauchen sowie genetische Veranlagung.

Fettstoffwechselstörungen. Meist spielen Lebensweise und Gene zusammen. Fettreiche Ernährung, viel Alkohol und zu wenig Bewegung sind weitere Ursachen.

Rückenleiden. Die Hauptursachen können hier Muskelverspannungen oder Veränderungen der Wirbelsäule und Bandscheibenvorfälle sein.

Typ-2-Diabetes. Übergewicht, ungünstige Ernährung, Bewegungsmangel und genetische Störungen können hier die Hauptursachen sein.
Koronare Herzkrankheit. Arteriosklerose führt zu einer Verengung der Herzkranzgefäße, die das Herz mit Sauerstoff versorgen. Bewegungsmangel, Bluthochdruck, Typ-2-Diabetes und Fettstoffwechselstörungen können hier die Hauptursachen sein.
Psychische Probleme. Zu großer und langandauernder Stress, Arbeitsüberlastung, Probleme und Konflikte sowie Existenzsorgen können hier die Ursachen sein.

Laut Weltgesundheitsorganisation (WHO) ist Gesundheit ein Zustand des vollständigen körperlichen, geistigen und sozialen Wohlbefindens und nicht nur das Fehlen von Krankheiten und Gebrechen. Das weitaus größte Gewicht für die Erklärung des Gesundheits- und Krankheitszustandes der Menschen haben die verhaltensbezogenen und sozialen Determinanten, das heißt der Lebensstil bzw. die Lebensweise und die Lebensbedingungen. Unzählige Studien zeigen, dass das Gesundheitsverhalten der Menschen einen bedeutenden Einfluss auf die Gesundheit ausübt. Der verantwortungsbewusste Umgang mit dem eigenen Körper und der Gesundheit hängt vom Vorhandensein gesundheitsfördernder Lebenskompetenzen ab. Mit gesundheitsfördernden Lebenskompetenzen kann der Mensch die Anforderungen des alltäglichen Lebens bewältigen. Je stärker die gesundheitsfördernden Lebenskompetenzen ausgeprägt sind und je höher die Widerstandskraft gegenüber Belastungen und Anforderungen ist, desto größer ist die Wahrscheinlichkeit, dass es nicht zu Störungen und Krankheiten kommt.

Die Weltgesundheitsorganisation (WHO) hat die folgenden **zehn zentralen Lebenskompetenzen** für unseren Kulturkreis definiert:

1. **Selbstwahrnehmung**. Die Wahrnehmung des eigenen Körpers und seine Bedürfnisse, des eigenen Charakters, der Stärken und Schwächen, Wünsche und Abneigungen.

2. **Einfühlungsvermögen**. Die Fähigkeit, sich in eine andere Person hinein zu versetzen und Mitgefühl und Verständnis zu entwickeln.

3. **Kreatives Denken.** Die Fähigkeit, die es ermöglicht, adäquate Entscheidungen zu treffen sowie Probleme konstruktiv zu lösen.

4. **Kritisches Denken**. Die Fähigkeit, Informationen und Erfahrungen objektiv zu analysieren.

5. **Entscheidungsfähigkeit**. Die Fähigkeit, Entscheidungen zu treffen und konstruktiv mit Entscheidungen im Alltag umzugehen.

6. **Problemlösefertigkeit**. Konstruktiver Umgang mit Problemen im Alltag.

7. **Effektive Kommunikationsfertigkeit**. Die Fähigkeit, sich kultur- und situationsbedingt sowohl verbal als auch nonverbal auszudrücken.

8. **Interpersonale Beziehungsfertigkeit**. Die Fähigkeit, Beziehungen und Freundschaften zu schließen und aufrechtzuerhalten.

9. **Gefühlsbewältigung**. Bewusstwerden der eigenen Gefühle und denen anderer, angemessener Umgang mit Emotionen.

10. **Stressbewältigung**. Erkennen der Ursachen von Stress im Alltag und dessen Auswirkungen. Stress reduzierende Verhaltensweisen erlernen.

Die TopFitComm Gesundheitsmethode und das autosuggestive TopFitComm Resilienztraining unterstützen und fördern die **zehn zentralen Lebenskompetenzen** der WHO für die Gesundheit in ganz besonderer und einzigartiger Weise.

Individuelle Gesundheitsförderung mit der TopFitComm® Gesundheitsmethode. Die TopFitComm Gesundheitsmethode ist eine praxisorientierte und effektive Gesundheitsmethode für eine ganzheitliche Gesundheitsförderung, mit folgenden besonderen Merkmalen:

Lebenseinstellung und Lebensweise. Mit der TopFitComm Gesundheitsmethode und dem autosuggestiven TopFitComm Resilienztraining kann eine persönlichkeits- und gesundheitsfördernde Lebenseinstellung und Lebensweise entwickelt werden.

Stimmigkeit mit sich selbst und mit den Mitmenschen. Die Sehnsucht nach einer Stimmigkeit mit uns selbst und mit unseren Mitmenschen ist fest in uns verankert. Mit der TopFitComm Gesundheitsmethode und einem regelmäßigen TopFitComm Resilienztraining können Sie eine ausgeprägte Stimmigkeit mit sich selbst und mit ihren Mitmenschen realisieren.

Lebenskompetenzen. Mit der TopFitComm Gesundheitsmethode und einem regelmäßigen TopFitComm Resilienztraining können Sie persönlichkeits- und gesundheitsfördernde Lebenskompetenzen aufbauen und kontinuierlich verbessern.

Gesundheitsfördernde Potenziale und Ressourcen. Das Besondere und Einzigartige bei der TopFitComm Gesundheitsmethode ist, dass Sie Ihre aktuellen gesundheitsfördernden Lebenskompetenzen bewerten können. Mit Ihrer Selbstbewertung erkennen Sie sehr transparent Verbesserungspotenziale.
Widerstandskraft gegen Stress, Burnout, Depression und Demenz. Die TopFitComm Gesundheitsmethode unterstützt die Fähigkeit zur Achtsamkeit sich selbst gegenüber und stärkt die Widerstandskraft gegen Stress, Burnout, Depression und Demenz.

Das Thema Salutogenese erfährt vor allem in der Gesundheitsprävention und der Gesundheitsförderung immer mehr Aufmerksamkeit. Das Konzept der Salutogenese fragt primär nach Bedingungen und Merkmalen von Gesundheit, welche die Gesundheit schützen und fördern. Die TopFitComm Gesundheitsmethode ist eine einzigartige und effektive Salutogenesemethode. Eine Gesundheitskultur im Sinne der Salutogenese zu entwickeln, ist eine Bildungsaufgabe der Gegenwart und Zukunft. Ziel einer Gesundheitsförderung im salutogenetischen Sinn ist es, Ressourcen aufzudecken und Handlungsmuster zu entwickeln, die das Kohärenzgefühl bzw. das Gefühl der Stimmigkeit mit sich selbst und mit seinen Mitmenschen begünstigen. Die TopFitComm Gesundheitsmethode unterstützt die Bildungsaufgabe, eine Gesundheitskultur im Sinne der Salutogenese zu entwickeln, in ganz besonderer Weise.

Kontinuierlicher Verbesserungsprozess. Ein kontinuierlicher Verbesserungsprozess (KVP) bei der individuellen Gesundheitsförderung setzt voraus, dass Sie den aktuellen Stand Ihrer gesundheitsfördernden Lebenskompetenzen und Ihren Verbesserungserfolg bewerten können. Die TopFitComm Gesundheitsmethode bietet Ihnen so eine Bewertungsmöglichkeit und Kennzahlen für eine kontinuierlichen Verbesserung bei Ihrer Gesundheit. Wie Sie bei der Bewertung Ihrer aktuellen Lebenskompetenzen vorgehen sollten und welche Bewertungsergebnisse und Kennzahlen Sie erhalten, haben wir ja in Verbindung mit dem Thema »Gesundheitsfördernde Potenziale erkennen und nutzen« detailliert besprochen.

Gesundheitsförderung mit dem Plan-Do-Check-Act-Zyklus. Der **P**lan-**D**o-**C**heck-**A**ct-Zyklus ist eine wichtige Methode für einen erfolgreichen kontinuierlichen Verbesserungsprozess. Diese Methode können Sie auch für Ihre individuelle Gesundheitsförderung anwenden.

Plan / Planen. Bewerten Sie Ihre aktuellen Lebenskompetenzen. Erkennen Sie Ihre Verbesserungspotenziale und planen Sie Ihre Verbesserungsmaßnahmen.

Do / Ausführen. Setzen Sie Ihre Verbesserungsmaßnahmen in der Praxis um und wenden Sie diese einige Monate an.

Check / Überprüfung. Überprüfen Sie die Wirksamkeit und den Erfolg Ihrer Verbesserungsmaßnahmen. Wo sinnvoll oder notwendig korrigieren Sie Ihre Verbesserungsmaßnahmen etwas.

Act / Anpassen. Nehmen Sie Ihre erfolgreichen Verbesserungsmaßnahmen als Standard in Ihr Gesundheitsförderungsprogramm auf.

Nach jedem erfolgreichen Plan-Do-Check-Act-Zyklus können Sie mit einem neuen Zyklus beginnen. So können Sie Ihren kontinuierlichen Verbesserungsprozess bei Ihrer Gesundheit realisieren.

Verhaltenskodex. Mit einem Verhaltenskodex können Menschen eine gesundheitsfördernde Lebenseinstellung und Lebensweise entwickeln. Ein Verhaltenskodex ist zum Beispiel auch die Basis für ein gutes und stressfreieres Miteinander Familien.

Wir alle sollten uns auch als Einzelpersonen zu einem Verhaltenskodex verpflichten.

Die Verhaltensregeln der TopFitComm Gesundheitsmethode stellen einen praxisorientierten und exzellenten »Verhaltenskodex« dar. Mit einem regelmäßigen TopFitComm Resilienztraining werden die Verhaltensregeln der TopFitComm Gesundheitsmethode immer besser verinnerlicht und immer besser im Bewusstsein und Unterbewusstsein verankert.

Auf der Seite 78 ist so ein praxisorientierter »Verhaltenskodex« beispielhaft dokumentiert.

Betriebliche Gesundheitsförderung

TopFitComm® Gesundheitsmethode und KOMPASS fürs LEBEN, die praxisorientierte betriebliche Gesundheitsförderung

Betriebliche Gesundheitsförderung. Betriebliche Gesundheitsförderung (BGF) umfasst alle gemeinsamen Maßnahmen von Arbeitgebern, Arbeitnehmern und Gesellschaft zur Verbesserung von Gesundheit und Wohlbefinden am Arbeitsplatz. So lautet die Definition der Luxemburger Deklaration zur betrieblichen Gesundheitsförderung. Bei der betrieblichen Gesundheitsförderung wird Gesundheit in einer ganzheitlichen Sichtweise als körperliches und psychisches Wohlbefinden definiert, das durch individuelle und betriebliche Hintergründe beeinflusst wird. Betriebliche Gesundheitsförderung zielt darauf ab, Gesundheitsressourcen im Unternehmen aufzubauen, um die Gesundheit, das Wohlbefinden und die Leistungsfähigkeit aller Beschäftigten zu fördern.

Verhaltens- und Verhältnisprävention. Bei der betrieblichen Gesundheitsförderung unterscheidet man verhaltensorientierte und verhältnisorientierte Ansätze. Verhaltensorientierte Maßnahmen sind auf das Verhalten Ihrer Beschäftigten in Beruf und Freizeit ausgerichtete Maßnahmen. Verhältnisorientierte Maßnahmen zielen auf die Arbeitsbedingungen ab, zum Beispiel eine gesundheitsgerechte Ausstattung am Arbeitsplatz oder auch gesunde Kantinenkost. Die verhaltensorientierte Gesundheitsförderung und deren Maßnahmen können als gesundheitsfördernde Personalentwicklungsmaßnahmen verstanden werden. Die Ansätze zur Personalentwicklung sollen Beschäftigten persönlich dazu befähigen, Gesundheitsbelastungen zu erkennen, mit ihnen richtig umzugehen und diese zu senken. Hierbei werden sie von der Unternehmensführung und den Führungskräften unterstützt. Bei der TopFitComm Gesundheitsmethode handelt es sich um eine verhaltensorientierte betriebliche Gesundheitsförderung.

Motive für die betriebliche Gesundheitsförderung. Globalisierung und Standortwettbewerb erfordern eine kontinuierliche Verbesserung der Wettbewerbsfähigkeit von Unternehmen. Produktivitätsverbesserungen müssen konsequent realisiert werden um mittel- und langfristig erfolgreich zu sein und zu bleiben. Die Gesundheit und Fitness der Unternehmensleitung, der Führungskräfte und aller Beschäftigten sind das größte Kapital des Unternehmens, Betriebes usw. Gesunde Führungskräfte und Mitarbeiter, die täglich motiviert sind, ihre Aufgaben wahrzunehmen, sind ein wichtiges und tragfähiges Fundament für den Unternehmenserfolg. Die Einführung einer betrieblichen Gesundheitsförderung fördert die Leistungsfähigkeit und Wettbewerbsfähigkeit von Unternehmen, Betrieben und kommunale Verwaltungen sehr effektiv und nachhaltig. Der Wert von Gesundheit und Fitness wird oft noch unterschätzt. Besonders in kleinen und mittleren Unternehmen und Betrieben wird die betriebliche Gesundheitsförderung als wichtige Maßnahme für die Verbesserung der Wettbewerbsfähigkeit noch viel zu wenig genutzt.

Ziele der betrieblichen Gesundheitsförderung. Jede Maßnahme, die innerhalb eines Unternehmens getroffen wird, sollte mit Zielen verknüpft und definiert werden. Dies gilt natürlich auch für die betriebliche Gesundheitsförderung. Nur durch die Zielsetzung und mit einer anschließenden Zielüberprüfung kann herausgefunden werden, ob eine Maßnahme erfolgreich war. Um welche Ziele bzw. Zielkriterien geht es bei der betrieblichen Gesundheitsförderung?

Harte Zielkriterien. Fehlzeiten reduzieren, Produktivität erhöhen, Qualität verbessern, Fluktuation verringern, Unfälle einschränken, Frühberentungen vermeiden.

Weiche Zielkriterien. Zufriedenheit der Beschäftigten erhöhen, Wohlbefinden am Arbeitsplatz stärken, Arbeitsklima und Arbeitsatmosphäre verbessern, Vertrauensverhältnis aufbauen, Kollegialität fördern, Identifikation mit dem Unternehmen stärken.

Bei der betrieblichen Gesundheitsförderung mit der TopFitComm® Gesundheitsmethode und dem KOMPASS fürs LEBEN können die harten und weichen Zielkriterien effektiv, kostengünstig und nachhaltig umgesetzt werden.

Betriebliche Gesundheitsförderung mit der TopFitComm® Gesundheitsmethode und dem KOMPASS fürs LEBEN.

Vorteile und Nutzen. KMU, Dienstleistungsanbieter, Verwaltungen und kommunale Verwaltungen können von dieser Gesundheitsförderung mehrfach profitieren.

Gesundheitsförderung. Mit der TopFitComm® Gesundheitsmethode und dem KOMPASS fürs LEBEN als verhaltensorientierte betriebliche

Gesundheitsförderung wird die physische und psychische Gesundheit und Fitness der Führungskräfte und Mitarbeiter sehr wirksam erhalten und gefördert. Die Führungskräfte können ihre Vorbildfunktion sichtbar und erfolgreich wahrnehmen. Alle Beschäftigten übernehmen mehr Verantwortung für ihre eigene Gesundheit. Mit der TopFitComm® Gesundheitsmethode und dem einzigartigen und effektiven TopFitComm® Resilienztraining kann die Widerstandskraft aller Beschäftigten gegen Stress, Burnout, Depression und Demenz erhöht werden. Die TopFitComm® Gesundheitsmethode und das TopFitComm® Resilkienztraining fördern Stressabbau, Konzentration und Gedächtnisleistung. Der gesamte Organismus wird aktiviert. Viele sogenannte Volkskrankheiten können vermieden bzw. in Grenzen gehalten werden. Krankentage können reduziert und die Motivation und Leistungsfähigkeit gesteigert werden.

Sehr geringer Kostenaufwand und sehr geringer Organisationsaufwand. Die betriebliche Gesundheitsförderung mit der TopFitComm® Gesundheitsmethode und dem KOMPASS fürs LEBEN zeichnen sich durch einen sehr geringen Kostenaufwand und einem sehr geringen Organisationsaufwand aus. Diese betriebliche Gesundheitsförderung kann mit der vorhandenen Organisationsstruktur eingeführt und erfolgreich genutzt werden.

Führungs- und Verhaltensregeln bzw. Verhaltenskodex. Alle KMU, Dienstleistungsanbieter, Verwaltungen und kommunale Verwaltungen sollten sich Regeln für die Führung und Zusammenarbeit vorgeben. Als Führungs- und Verhaltensregeln bzw. als Verhaltenskodex für Führungskräfte und Mitarbeiter können die Verhaltensregeln der TopFitComm® Gesundheitsmethode verwendet werden. Ein Beispiel eines Verhaltenskodex auf der Basis der Verhaltensregel der TopFitComm® Gesundheitsmethode finden Sie auf der Seite 78. Diese Regeln sind eine sehr gute Basis für die Führung und Zusammenarbeit. Die detaillierte Erläuterung dieser Regeln in dem Buch »KOMPASS fürs LEBEN« und in dem Buch »TopFitComm® Gesundheitsmethode« fördert die Beachtung und Umsetzung dieser Führungs- und Verhaltensregeln. Mit der TopFitComm® Gesundheitsmethode und dem TopFitComm® Resilienztraining werden die Führungs- und Verhaltensregeln verinnerlicht und im Bwusstsein und Unterbewusstsein verankert, mit positiven Auswirkungen auf das Arbeitsklima, die Zusammenarbeit und auf die Arbeitsergebnisse. Mit der

TopFitComm® Gesundheitsmethode kann die Mitarbeiterführung und die Zusammenarbeit deutlich verbessert werden. Fähigkeiten und Stärken der Mitarbeiter werden noch besser erkannt und gestärkt. Lebenslanges Lernen wird unterstützt. Die Problemlösungskompetenz wird gesteigert. Es entsteht eine offene, vertrauensvolle und wertschätzende Zusammenarbeit. Konflikte werden dadurch häufig vermieden. Die Persönlichkeitsentwicklung von Führungskräften und Mitarbeiter wird gezielt gefördert.

Eigenverantwortung der Beschäftigten. Die Eigenverantwortung der Beschäftigten für ihre Gesundheit wird von der betrieblichen Gesundheitsförderung mit der TopFitComm® Gesundheitsmethode und dem KOMPASS fürs LEBEN praxisorientiert und sehr wirksam gefördert.

Vorbildfunktion der Führungskräfte. Die betriebliche Gesundheitsförderung mit der TopFitComm® Gesundheitsmethode und dem KOMPASS fürs LEBEN unterstützen die Vorbildfunktion der Führungskräfte in ganz besonderer Weise.

Kundenzufriedenheit. Die Beachtung und Verinnerlichung der Führungs- und Verhaltensregeln werden sich auf die Kundenzufriedenheit und das gesamte Umfeld des Unternehmens usw. sehr günstig auswirken. Alle externen Personen werden sich gut und wertschätzend behandelt fühlen.

Image und Wettbewerbsfähigkeit. Das gute Arbeitsklima, die gute Zusammenarbeit und die praxisorientierte betriebliche Gesundheitsförderung werden sich positiv auf das Image und die Wettbewerbsfähigkeit auswirken.

Win-Win-Situation. Die Nutzung der ganzheitlich orientierten TopFitComm® Gesundheitsmethode als betriebliche Gesundheitsförderung erzeugt eine Win-Win-Situation. Sowohl die Beschäftigten als auch das Unternehmen usw. profitieren gleichermaßen. Die TopFitComm® Gesundheitsmethode erfüllt bei den Führungskräften und Mitarbeiter eine gewisse Klammerfunktion von privatem und beruflichem Umfeld.

Kennzahlen und Kennzahlenstruktur

Bei der Generierung Ihrer Kennzahlen sollten Sie folgendermaßen vorgehen:

Bewertung der aktuellen gesundheitsfördernden Lebenskompetenzen und Resilienzfaktoren: Individuelle Selbstbewertung aller Beschäftigten. Alle Selbstbewertungen Ihrer Beschäftigten erfolgen **anonym** und werden

anonym erfasst. Die Bewertungsunterlagen »**Bewertung** Bewusstsein und Verhalten« und »**Zielplanung** Bewusstsein und Verhalten« stellen Sie Ihren Beschäftigten zur Verfügung.

Wichtig ist, dass Ihre Führungskräfte sicherstellen, dass alle Mitarbeiter ihre anonyme Selbstbewertung durchführen. Die Führungskräfte geben diese Selbstbewertungen vollzählig an den Beauftragten für die betriebliche Gesundheitsförderung. Wir empfehlen, dass eine Führungskraft die Funktion des Beauftragten für die betriebliche Gesundheitsförderung übernimmt.

Erfassung der einzelnen Selbstbewertungen: Der BGF-Beauftragte erfasst alle anonymen Selbstbewertungen entsprechen den Bewertungsunterlagen »**Bewertung** Bewusstsein und Verhalten« und »**Zielplanung** Bewusstsein und Verhalten«.

Ermittlung der Kennzahlen: Der BGF-Beauftragte ermittelt die Kennzahlen für die verhaltensorientierte betriebliche Gesundheitsförderung mit der TopFitComm® Gesundheitsmethode. Die Durchschnittswerte für alle Einzelkriterien, für die Untergruppen und für den Gesamtwert gibt der BGF-Beauftragte als aktuelle Kennzahlen an die Unternehmensführung und an alle Führungskräfte.

Verwendung der Kennzahlen: Diese Kennzahlen sind die Basis für die periodischen BGF-Gespräche im Kreis der Führungskräfte und für die periodischen BGF-Gespräche in allen Organisationseinheiten.

Kontinuierlicher Verbesserungsprozess bei der betrieblichen Gesundheitsförderung: Um wettbewerbsfähig zu bleiben müssen alle Wettbewerbsfaktoren kontinuierlich und systematisch verbessert werden. Hierbei ist eine Bewertungsmöglichkeit der Wettbewerbsfaktoren eine uneingeschrängte Voraussetzung. *Nur was man bewerten kann, kann man auch kontinuierlich und erfolgreich verbessern!* Mit den periodischen BGF-Kennzahlen ist diese Voraussetzung bei der betrieblichen Gesundheitsförderung in einzigartiger Weise geschaffen. Deshalb setzt diese BGF neue Maßstäbe!

Diese periodischen Kennzahlen zeigen Ihnen den Erfolg Ihrer betrieblichen Gesundheitsförderung. Die Kennzahlen für die Einzelkriterien und für die Untergruppen zeigen Ihnen auch, wie stark die »**zehn zentralen Lebenskompetenzen**« für die Gesundheitsprävention und Gesundheitsförderung der Weltgesundheitsorganisation (WHO) bereits verinnerlicht und ausgeprägt sind.

Einführungsschritte und erfolgreiche Nutzung der betrieblichen Gesundheitsförderung mit der TopFitComm® Gesundheitsmethode und dem KOMPASS fürs LEBEN.

Die betriebliche Gesundheitsförderung mit der TopFitComm® Gesundheitsmethode und dem KOMPASS fürs LEBEN sollte mit folgenden Einzelschritten eingeführt und erfolgreich genutzt werden:

1. Schritt

Die Unternehmensleitung entscheidet sich für die betriebliche Gesundheitsförderung mit der TopFitComm® Gesundheitsmethode und dem KOMPASS fürs LEBEN.

Die Unternehmensleitung benennt einen BGF-Beauftragten bzw. beauftragt den vorhandenen BGF-Beauftragten die betriebliche Gesundheitsförderung mit der TopFitComm® Gesundheitsmethode und dem KOMPASS fürs LEBEN einzuführen.

Die Unternehmensleitung beschließt, in Abstimmung mit dem Betriebsrat und den Führungskräften, die Verhaltensregeln der TopFitComm® Gesundheitsmethode als »**Verhaltenskodex**« für die Führung und Zusammenarbeit zu verwenden. Der »**Verhaltenskodex**« wird allen Beschäftigten vorgestellt. Die Unternehmensleitung, die Führungskräfte und alle Beschäftigten verpflichten sich zu diesem »Verhaltenskodex«.

Der BGF-Beauftragte studiert die kostenlose Anleitung für die Durchführung der Gesundheitsvorträge KOMPASS fürs LEBEN und für den Gesundheitskurs KOMPASS fürs LEBEN. Der BGF-Beauftrage besucht eventuell zusätzlich das Tagesseminar »Betriebliche Gesundheitsförderung mit der TopFitComm® Gesundheitsmethode und dem KOMPASS fürs LEBEN« oder das Tagesseminar »Gesundheitsvorträge KOMPASS fürs LEBEN«

Tagesseminar »Betriebliche Gesundheitsförderung mit der TopFitComm® Gesundheitsmethode und dem KOMPASS fürs LEBEN« oder Gesundheitsvortrag KOMPASS fürs LEBEN: »Betriebliche Gesundheitsförderung mit der TopFitComm® Gesundheitsmethode und dem KOMPASS fürs LEBEN« für die Unternehmensleitung und für die Führungskräfte.

Leitung: BGF-Beauftragter
Seminar- bzw. Vortragsunterlagen:

Buch »KOMPASS fürs LEBEN«
Buch »Gesundheitsvorträge und Gesundheitskurs KOMPASS fürs LEBEN«

2. Schritt:

Einführung der verhaltensorientierten betrieblichen Gesundheitsförderung mit der TopFitComm® Gesundheitsmethode und dem KOMPASS fürs LEBEN.

Tagesseminar »Betriebliche Gesundheitsförderung mit der TopFitComm® Gesundheitsmethode und dem KOMPASS fürs LEBEN« oder Gesundheitsvorträge KOMPASS fürs LEBEN (Vorträge 1 bis 7) für alle Beschäftigten.

Leitung: BGF-Beauftragter
Seminar- bzw. Vortragsunterlagen:
Buch »KOMPASS fürs LEBEN«
Buch »Gesundheitsvorträge und Gesundheitskurs KOMPASS fürs LEBEN«

Einführungsgespräche im Kreis der Führungskräfte und Einführungsgespräche in allen Organisationseinheiten.

3. Schritt:

Erste Kennzahlen der betrieblichen Gesundheitsförderung mit der TopFitComm® Gesundheitsmethode und dem KOMPASS fürs LEBEN ermitteln. Anstoß durch BGF-Beauftragten.

Erste individuelle Selbstbewertung aller Beschäftigten ca. 4 Wochen nach dem 2. Schritt. Alle Selbstbewertungen der Beschäftigten erfolgen **anonym** und werden **anonym** erfasst und ausgewertet. Die Bewertungsunterlagen »**Bewertung** Bewusstsein und Verhalten« und »**Zielplanung** Bewusstsein und Verhalten« erhalten alle Beschäftigten von dem BGF-Beauftragten. Diese Bewertungsunterlagen können von der Website KOMPASS fürs LEBEN kopiert werden.

Das Gesamtergebnis der ersten Kennzahlen-Ermittlung und die Ergebnisse für die einzelnen Organisationseinheiten erhält die Unternehmensleitung und erhalten alle Organisationseinheiten vom BGF-Beauftragten.

Diese Kennzahlen können Sie zum Beispiel jährlich neu erfassen und auswerten, um den Verbesserungserfolg bei Ihrer betrieblichen Gesundheitsförderung festzustellen. So realisieren Sie einen kontinuierlichen Verbesserungsprozess bei Ihrer betrieblichen Gesundheitsförderung.

4. Schritt:

Kontinuierlicher Verbesserungsprozess bei der betriebliche Gesundheitsförderung mit der TopFitComm® Gesundheitsmethode und dem KOMPASS fürs LEBEN.

Periodische BGF-Gespräche im Kreis der Führungskräfte und in allen Organisationseinheiten.

Gesprächsbasis:
Kennzahlen der betrieblichen Gesundheitsförderung mit der TopFitComm® Gesundheitsmethode und dem KOMPASS fürs LEBEN.

Buch »KOMPASS fürs LEBEN«
Buch » Gesundheitsvorträge und Gesundheitskurs KOMPASS fürs LEBEN«

Gesprächspunkte:

Feedback-Runde: Wie haben die einzelnen Führungskräfte und Mitarbeiter die gesundheitsfördernden Lebenskompetenzen und Resilienzfaktoren der TopFitComm® Gesundheitsmethode in der zurückliegenden Periode berücksichtigt. Welche Erfahrungen haben sie mit diesen Lebenskompetenzen und Resilienzfaktoren im beruflichen und privaten Umfeld gemacht.

Wie sehen die aktuellen Kennzahlen der betrieblichen Gesundheitsförderung mit der TopFitComm® Gesundheitsmethode und dem KOMPASS fürs LEBEN aus? Welche Veränderungen ergeben sich bei den Einzelkriterien, den Untergruppen und bei der Gesamtbewertung?

Verbesserungsprozess: Schwerpunkte bei der Verbesserung der betrieblichen Gesundheitsförderung und Schwerpunkte bei der Verbesserung der Gesundheit der Beschäftigten formulieren. Im Kreis der Führungskräfte und in allen Organisationseinheiten.

Zielplanung Kennzahlen: Zielplanung für die nächste Periode bei den Einzelkriterien, bei den Untergruppen und bei der Gesamtbewertung.

Durch ihr regelmäßiges Resilienztraining verinnerlichen Ihre Führungskräfte und alle Beschäftigten die Verhaltensregeln Ihres »**Verhaltenskodex**« immer besser und verankern diese in ihrem Bewusstsein und Unterbewusstsein. Auch im Rahmen Ihrer periodischen BGF-Gespräche werden diese Verhaltensregeln immer wieder angesprochen und diskutiert. Diese periodischen BGF-Gespräche unterstützen die Verinnerlichung dieser Verhaltensregeln.

Verhaltenskodex

Beispiel

Ziel unseres Verhaltenskodex ist die Realisierung eines guten und stressfreieren Miteinanders und die Realisierung und Erhaltung einer offenen, vertrauensvollen und wertschätzenden Zusammenarbeit.

Dieses Ziel wollen wir mit den Verhaltensregeln der TopFitComm® Gesundheitsmethode erreichen.

Wir verpflichten uns alle, die folgenden Verhaltensregeln zu beachten und umzusetzen.

Warum es für jede Einzelne und jeden Einzelnen von uns so wichtig ist, diese Verhaltensregeln zu beachten, ist in dem Buch »KOMPASS fürs LEBEN« detailiert beschrieben.

Ich beachte wichtige Verhaltenskräfte

Die Kraft der Toleranz
Die Kraft der Verarbeitung
Die Kraft, Probleme anzunehmen
Die Kraft, zusammenzuarbeiten
Die Kraft, zu unterscheiden
Die Kraft des Lachens
Die Kraft, einen Schlusspunkt zu setzen
Die Kraft, in die Stille zu gehen

Ich beachte wichtige Verhaltensgrundsätze

Ich akzeptiere und achte andere wie mich selbst
Ich sehe die Fähigkeiten und Stärken der anderen
Ich löse mich von meinen Erwartungen
Ich beschuldige und beleidige andere nicht
Ich bin losgelöster, neutraler Beobachter
Ich brauche mich nicht zu verteidigen
Ich brauche mich nicht zu ärgern
Ich genieße den Augenblick

Ort und Datum

Unterschriften

Manfred Hildebrand hat auch die Bücher »TopFitComm® Gesundheitsmethode« ISBN 978-3-7412-5754-4 und »Geldsparprogramm Privathaushalte« ISBN 978-3-7392-5841-6 geschrieben. *Ich will mit meinen Büchern* »TopFitComm® Gesundheitsmethode« und »Geldsparprogramm Privathaushalte« *Menschen helfen, gesund und fit zu bleiben und Familien und Privathaushalte unterstützen, dass sie mit ihrem Einkommen immer gut auskommen. So beschreibt der Autor sein Anliegen.*

Manfred Hildebrand
Dr. Jens Barthel
Mit einem Vorwort von Prof. Dr. Niko Kohls

TopFitComm®
Gesundheitsmethode

Die einzigartige ganzheitliche Gesundheitsmethode
für die individuelle und betriebliche Gesundheitsförderung

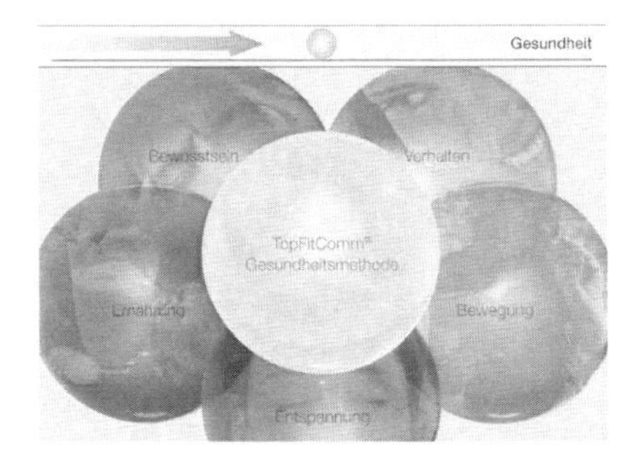

Die TopFitComm® Gesundheitsmethode ist eine einzigartige ganzheitliche Gesundheitsmethode für die individuelle und betriebliche Gesundheitsförderung. Bei der TopFitComm® Gesundheitsmethode wirken Bewusstsein, Verhalten, Bewegung, Entspannung und Ernährung zusammen. Mit der ganzheitlichen TopFitComm® Gesundheitsmethode und dem TopFitComm® Resilienztraining fühlt man sich den Problemen und Herausforderungen des Alltags besser gewachsen, findet sich in der Welt gut zurecht und wird sein Leben als interessant, lebenswert und schön empfinden. Gesundheitsfördernde Potenziale, die in jedem Menschen schlummern, können mit der TopFitComm® Gesundheitsmethode erkannt und genutzt werden. Diese neue Gesundheitsmethode fördert die Stimmigkeit mit sich selbst und mit seinen Mitmenschen. Die TopFitComm® Gesundheitsmethode fördert die physische und psychische Gesundheit und Fitness, verbessert die Konzentration und Gedächtnisleistung und stärkt die Widerstandskraft gegen Stress, Burnout, Depression und Demenz.

Der Untertitel dieses Buches lautet: »Von Profis lernen! So sparen Sie über 10% Ihrer Ausgaben!«. Jeder Privathaushalt ist mit einem kleinen Unternehmen vergleichbar und Sie als Haushaltsmanager/in führen Ihr Familienunternehmen. Wie können Sie von erfolgreichen Unternehmen lernen? Welche Sparpotenziale können Sie in Ihrem Haushalt nutzen? Wie können Sie über 10% Ihrer Ausgaben sparen? Dies alles wird Ihnen unter anderem in diesem Buch detailliert erläutert. Mit den beschriebenen Methoden sowie mit den aufgezeigten Sparpotenzialen können Sie Ihr Geldsparprogramm planen und realisieren.

Mit diesem Buch werden Sie nicht nur mit Ihrem Einkommen gut auskommen sondern Sie können auch mit dem gesparten Geld gezielt und erfolgreich Ihre Zukunft gestalten. Das beschriebene Haushaltsmanagement wird sich auf Ihr Zusammenwirken in Ihrer Familie und auf Ihr Familienleben nachhaltig günstig auswirken.